*Kakuichi Institute* Holistic Study Series

# BEYOND HUMAN SCALE

# ヒューマンスケールを超えて

## わたし・聖地・地球《ガイア》

鎌田東二・ハナムラチカヒロ

ぷねうま舎

# はじめに――スケール転換を求めて

鎌田東二

## セルフスケール

人間の苦しみの根源は、自己（エゴあるいはセルフ）にある。当然のことながら、自分がなければ、苦しみはない、すべての認識主体は自己だから。だから、このように苦しんでいる自分のありようを変えることができれば、そう考えて、自分を変える、自分を変えようとする。それがセルフスケールの転換となる。

だが、自己というもの・ことは、そう簡単には変わらない。そのために、自己の構造とはたらきをじっくりと観察吟味する必要がある。もちろん、心理学や精神医学や生理学や解剖学など、自己を取り巻く身心のメカニズムやファンクションを科学的に理解することも大切だ。

だが、それによって、ある程度自我の構造や機能やメカニズムがわかっても、自分を変えることができるかどうかは、別問題だ。ハナムラさんとの対談では、それを「まなざしの転換」とか、「メタノイア」(回心)として語り合った。本書で言及しているヴィパッサナー瞑想やマインドフルネスやさまざまな身心変容技法も東山修験道も、そうした転換・メタノイアの方便(手法)である。それをどのように遂行し、徹底することができるか?

あなたは自分を変えることができますか?

## ランドスケール

自己に対する囚われを外す方法として、瞑想以外に、自然体験がある。修験道は山岳跋渉《ばっしょう》しながら、自然の中で自己を外すワザを開発した。畏怖・畏敬を感じる大いなる自然の中に溶け込んで、天地一枚となる。そうなれば解放されるが、そうは問屋が卸さない。電球を取り外したり、取り換えたりするように、容易に自己を取り外したり、取り換えたりすることはできないからだ。だが、日本人は「自然体」ということを生き方や在り方の理想形態と捉えてきた。どうすれば、そんな「自然体」になれるのか?

「無心」になることができれば、「自然体」に至ることができるというのは一つの答えであり、東アジア的かつ日本的問題解決策である。その「無心」になるために、徹底的に「心」を探り、はたらかせる。世阿弥も「無心」になれ、と言う。「目前心後」とも言う。「離見の見」とも言う。

目は前にある。前を見ている。それによって、距離をもって対象世界を捉え、行為的主体として自己を関与させる。だが、それは一つの見方にすぎないし、囚われでもある。目を前にではなく、目をつむって、心を後ろに置いてみる。すると、何が視えてくるか？

また、「我見」というのは自己意識であり、認識主体としての自己である。対して、「離見」とは、他者のまなざしであり、自己を超えた視線である。それらを合体し、アウフヘーベン（止揚）した「離見の見」とは、他者のまなざしを取り込んだメタレベルの自己のまなざしである。このまなざしの二重化、あるいは三重化、そんな「まなざしの転換」をすることができれば。

あなたは、目を後ろに付け、心を後ろに置くことができますか？

## プラネタリースケール

龍村仁さんの『地球交響曲《ガイアシンフォニー》　第一番』（一九九一年）のポスターに、「地球の声が、聞こえますか」とあった。その問いに、古来、シャーマンたちは「イエス！」と答えた。中国の仙人も「イエス！」と言うだろう。世界中の神秘家たちも同様だ。エコロジストたちも似たような答えを返すはずだ。

では具体的に、「地球の声」って何？　雷の音？　風の音？　火山の、地震の、台風の、津波の、吹雪の、竜巻の……、何だろうか？

「地球の声を聞く」というワザを人類は開発してきたし、まちがいなく、それはできる。だからこそ、紀貫之は言った。「生きとし生けるもの、いづれか歌を詠《よ》まざりける」（『古今和歌集』仮名序）と。

それって、「地球の声」のこと。

そのとおり！　そうであるにちがいない！　そのはずだ。

毎朝、アイルランドのアラン島で拾った石笛《いわぶえ》たちを吹くわたしは、「地球の声」を吹き鳴らしていると言えるのだろうか？　この水の惑星の声をしんみりと聞きとってみたい。

あなたは、地球の声が聞こえますか？

## ユニバーサルスケール

宇宙は意志を持っている。柳宗悦や宮沢賢治はそう考えていた。すべての神秘家もそう考えるはずだ。

柳はこう言っている。「自然界に於ける法則とは、要するに宇宙の意志そのものに外ならぬ、かの微細なる原子にもかゝる意志は流れて居る、一切のものは宇宙が心霊の影像である」、「此世界とは要するに宇宙の霊的意志の表現に外ならぬ」（「新しき科学」『白樺』第六・第七号、一九一〇年）と。

賢治の言い方は、こうだ。「農民芸術とは宇宙感情の　地　人　個性と通ずる具体的なる表現である」、「われらに要るものは銀河を包む透明な意志　巨きな力と熱である」（『農民芸術概論綱要』一九二六年）、「たゞひとつどうしても棄てられない問題はたとへば宇宙意志といふやうなものがあつてあらゆる生物をほんたうの幸福に齎《もたら》したいと考へてゐるものかそれとも世界が偶然盲目的なものかといふ所謂信仰と科学とのいづれによつて行くべきかといふ場合わたしはどうしても前者だといふのです。すなはち宇宙には実に多くの意識の段階がありその最終のものはあらゆる迷誤をはなれてあらゆる生物を究竟の幸福にいたらしめやうとしてゐるといふまあ中学生の考へるやうな点です」（高瀬露宛書簡下書き、一九二九年）。

『２００１年宇宙の旅』のボーマン船長は、木星探査号に乗って、どんなモノリスの「宇宙意志」を聞きとり、「スターチャイルド」（星童）に変容したのだろうか？

この世の涯、宇宙の果てを見てみたい。子どものころからずっとそう思い続けてきて、まもなく六十九歳になる。わたしは宇宙の意志に応える生き方ができているのだろうか？

あなたは、宇宙の意志を感じることがありますか？

# スケール転換

スケールメリットという言葉がある。一般に、一定の規模にまで大きくなったとき、より大きな効果を持つことを言う。企業や大学や諸種の集団で、効率的に生産性や利益を上げるスケールがあるとされている。

とすれば、逆に言えば、スケールデメリットもある、ということになる。だから、問題は、スケールアセスメントとスケールセレクションとスケールコンバージョンということになる。大きくすればいい、大きくなればいいというものではない。むしろ、大きくなることによって負のシステムと負の遺産が拡大することがままある。わたしの服のサイズはMからLの間。ぴったりしたいときはM、ゆったりしたいときはLかLL。気持ちと状況によって変える。

わたしは、恐竜が大好きだが、恐竜はその大きさゆえに滅ぶのも早かったという。大きすぎて自滅することがあるのだ。持続可能を維持できなくなって。そして恐竜は滅んだ。六千六百万年前のことらしい。そこでサイズを落として始祖鳥となって、地上から天空へ引っ越したのか？

その始祖鳥にわたしはあこがれる。「ぼくは始祖鳥になりたい」。

あなたは、自分のスケールメリットがわかりますか？

## 「役者」というスケール

この本は、「役者論」から始まっている。「役」という問いかけはなかなか味があるし、奥が深い。一般に災いがふりかかるとされる「厄年《やくどし》」も、じつは「役年」（大事な役回りの年）のことだから。ともあれ、世阿弥が生きていたら、世阿弥さんにも参加してもらいたかった。『風姿花伝』を引っさげて。

「役者」って、ふしぎだ。「役行者」みたいだから。「役《えん》の行者《ぎょうじゃ》」は修験道の開祖で、日本型自然体の提唱者だ。「役」という身心変容技法を本質的に問いかけた人だ。

ハナムラさんとわたしは、いったいどんな「役者」になりたいのか？

あなたという「役」のスケールは？

二〇一九年十二月二十六日

ヒューマンスケールを超えて——わたし・聖地・地球◆目次

## 第4章 意識の進化 †スケールが変わると正解が変わる 109

## 第7章 宇宙の縮図 ─聖地から宇宙を見上げる 225

## 第8章　母なる地球《ガイア》――太陽の原理から月の原理へ　261

第1章

# わたしという現象

†人生とは演技の連続である

## 役者は自分を拡大するのか消すのか

鎌　田　ハナムラさんは役者もしているそうですが、役者は役柄をどのように演じるのですか。

ハナムラ　自分の中から引き出した記憶や経験を演じるアプローチと、型を借りて自分がそれそのものになってしまう憑依《ひょうい》のアプローチと、二つ方向があるように思います。

鎌　田　自分の中から引き出すのと、自分がそれにシフトしていくのと。

ハナムラ　シフトしていくというより、ぼくはどちらかというと同化したいタイプです。

鎌　田　どうして同化できるんですか？

ハナムラ　難しいことを訊きますね。

鎌　田　どうやって同化できるかは、けっこう重要な問題です。

ハナムラ　たしかに重要な問題ですね。ぼくの場合は、過去の記憶とか、経験を膨らませていくというやり方から始めます。型芝居のうまい人は、最初からフォーマットを借りてきて、それを当てはめているのではないかと。

鎌　田　フォーマットというのはモデルがあるということですか？

ハナムラ　モデルから始めるでしょうね。たとえば、あの人のあの感じ、みたいなのを持ってくる。

鎌田　過去の俳優なり、知り合いの人なり……。

ハナムラ　過去の俳優なり、日常の人々なりの観察ですね。普段の生活の中で観察したあの人のあのかたちを演じる。声態模写とか、その人の感じなどをちょっとまねてみたり、そういうのをよくやります。

映画『冷たい床』（出演：ハナムラチカヒロ, サヘル・ローズ）

こうした憑依型は外にある型を借りますが、反対に自分の内側の型を持ってきて演じるタイプもあります。前者は役に自分を引き寄せ、後者は自分に役を引き寄せているような感じです。ぼくはどちらかというと自分に役を引き寄せていくアプローチのほうが得意かな。

鎌　田　以前、科研費で「モノ学」という研究をやっていました。日本語の「もの」という言葉はじつに多義的で両極を含んでいます。ふつう「もの」と言えば、物質的・物体的な「物」だと思う。しかし、「物《もの》の怪《け》」とか「大物主《おおものぬし》」などと言うと、霊とか神を指します。また「者」と言えば、人格的な存在を表す。つまり、モノは、物という物質的次元、者という人格的次元、霊という霊性的次元の三つの次元を含んでいる言葉だということになります。そんな日本人のモノ感覚やモノ思想を総括し、掘り下げてみようというのが「モノ学」です。

世阿弥も「物学」と書いて、それを「ものまね」と読ませています。どうやってものまねができるのか。ものまねの極みというのはいったい何なのか。変容していくときに、無心というのが出てくる。無心でないとものまねはできない。自分があると、ものまねはできない。

ハナムラ　まさにそうですね。

鎌　田　結局、どちらからいっても、自分があったらできないのではないですか。そんなことはないですか?

ハナムラ　そのとおりだと思います。つまり自分を思い切り拡大していくというやり方と、自分を消して、外を全部入れるというやり方の二つがあるんじゃないかと思います。ぼくの場合、けっこう自我があるタイプだと思うので、自分を拡大していくアプローチをとっているのではないかと思うのです。

鎌田　それが同化・シンクロということになるのですか。

ハナムラ　どちらの方向からアプローチしても、もしリアリティのある演技を求めるのであれば、自分と役が同化しないとうまくいかないのだと思うのです。〝演じているという行為〟そのものを見せるのであれば、必ずしも同期は必要ないのかもしれませんが。そう考えると、その本人が演じているところを見せたいのか、それともその本人の身体を借りて別の人物を見せたいのかによってアプローチが変わるのかもしれませんね。

## 自分をなくしていく禅・拡大する密教

鎌田　いきなりですがね、禅と密教は対極なのですよ。禅というのは、簡単に言うと、自分をなくしていくことです。自分を消していく。だから、禅では無ということが非常に重要になる。自分をバンと消して、完全に消去して、存在の中に埋没させてしまう。

一方、密教は自分を法身仏《ほっしんぶつ》の大日如来に同化させていく。ガアッと最大に増殖、拡大していく。そのとき、曼荼羅《まんだら》とか印とか真言《しんごん》とか、いろいろな図像やイメージやシンボルを使います。

だから、同じ仏教でも、禅と密教という、対極的な、二種類の身心変容技法がある。それが非常におもしろい。

ハナムラ　釈尊はどちらかというと、自分を消していくほうでしょう。

鎌　田　そう。禅はお釈迦さん直伝ですね。

ハナムラ　そうですよね。ぼくは釈尊つまり仏陀が伝えたヴィパッサナー瞑想という観察の瞑想を修行しています。これは自分の自我を消していく方です。でも、密教はどちらかと言えばヒンドゥー教やバラモン教の影響が濃いのだと思います。アートマンという自我を拡大させて、ブラフマンという真我に一致させていくという理論が採用されているように思います。

鎌　田　だから、正確に言えば、密教は仏教と言えるかどうか疑問なのです。

ハナムラ　ぼくもそう思います。

鎌　田　まさに密教は、バラモン教やヒンドゥー教のアートマンとか真我の思想を取り入れています。梵我《ぼんが》一如《いちにょ》の思想の仏教版というか、仏教バージョンだから。

ハナムラ　もともと「雑密《ぞうみつ》」というかたちでインド各地に散らばっていたバラモンの教えみたいな話をうまく理論化して、仏教の器に載せたのが空海だと思っています。

鎌　田　インドでできた『大日経』や『金剛頂経《こんごうちょうきょう》』が、中国の唐の長安で恵果《けいか》阿闍梨《あじゃり》たちによって総合されて、空海というとんでもない器に載せられたのですよ。

ハナムラ　そう考えたときに、感覚をすべて切り捨てていくというか、感覚と自分の心を冷静に切り離して観察する仏陀の瞑想法に対して、密教はあらゆるものを感覚的にしていくというか……。

鎌　田　包摂する。

ハナムラ　音を使い、匂いも使い、曼荼羅みたいなものも使って包摂していく。五感全部を使って心を刺激することで、自己を融かしていく。自己の拡大なのか、世界の自己化なのか、アプローチの方法は違うけど、両方とも最終的に目指すところは近しいのかもしれません。

鎌　田　曼荼羅自体がヒンドゥー教の儀礼ですからね。護摩《ごま》を焚いたり、ご祈禱をしたり、瞑想や観想をしたり、いろいろなことをやる。ゾロアスター教やヒンドゥー教の火の儀礼であるホーマを取り込んで護摩にしている。そもそもマントラ自体もバラモン教やヒンドゥー教由来でしょう。仏教には本来マントラはなかった。

ハナムラ　ないですね。

鎌　田　お釈迦さんは言語に関しては非常にアンビバレントな立場で、言葉を信じすぎてはいかんと言っている。つまり、言葉はトリッキーで人の心を迷わせる道具にもなる。感覚も迷わせる道具や装置になる。だから、感覚を信用しすぎても駄目だし、言語を信用しすぎても駄目だ。そこのところを批判的にメタ化してみて、宙づり状態にしながら、リアリティをどう見ていくかを探る。すると、言語がクリアーな認識や意識状態を妨げている面はかなりありますね。

ハナムラ　あるでしょうね。

鎌　田　われわれにとっての常識の概念がそうですね。詩が生まれるときには、そういう常識的な概念の枠組みが溶け出して、解体されていると思うのです。

お釈迦さんは、どちらかというと詩に近い。つまり、リアリティの現前を目指していた。ところが、密教はそれをあるシンボルで覆い尽くしていく、包み込んでいくので、ずいぶん方法が違う。

ハナムラ　ベクトルが逆ですね。でも、ベクトルは逆なのですけど、目指しているところは近しいような気もしています。ぼくは自分の日常においては、仏陀のアプローチのほうがシンパシーを感じることが多いです。自分を客観的に外から観察して「異化」していくという方向ですかね。ぴたっと静止することで自分をなくしていく方向。その一方で、反対に外から感覚を刺激するものを過剰に取り込むことで、トランスというか、自分をなくしていく方法もあるのだと思います。

鎌　田　ヴィパッサナーとかマインドフルネスは消していく方向に近いと思うけれど、さきほどの自分の中から引き出していくというのは密教的ではないですか？

ハナムラ　それが密教的だと言えるのかどうかはわかりませんが、普段する瞑想とは逆のことをしているような感覚ですね。どう言ったらいいか難しいのですが、ぼくが芝居をするときは、その役の人物の中で、すごく共感できるところはどこかということを探していく。

鎌　田　そこから入り込んでいく。

ハナムラ　共感できる部分から、一生懸命、想像するというか。たとえば、ぼくは人を殺したことなんかないわけです。だからたとえば、人を殺した人物を演じるときには、すごく想像力が必要になってくる。もし自分が本当に殺してしまったらどうなるんだろうか、きっとそれまでの自分とはまったく変わってしまうんじゃないか。そんなことを主観的に探っていく感覚です。型芝居が得意な人たちは逆に、芝居や映画、テレビの中で、人を殺した人はどんなリアクションをするのか、どんな表情や姿勢になるのかを見て、人を殺した人に見えるような型を学んでいく。

鎌　田　外側から見ていく。

ハナムラ　外側から客観的に観察するというやり方で見ていく。ぼくが自分の芝居において表現したいのは、たぶんそちらのアプローチではないだろうと思います。だから、ぼくがする芝居は、ある意味でぼくに似てくるのです。変なたとえですが、俳優にはジョニー・デップ型とトム・クルーズ型があるのではないかと前々から思っています。たとえば、トム・クルーズはどの映画を見てもトム・クルーズだと思いませんか？

鎌　田　確かに。

ハナムラ　でも、ジョニー・デップはどの映画を見ても違う芝居をしている。あれが型というか。

鎌　田　ジョニー・デップはよく知らないので、もうちょっと違う俳優を。

ハナムラ　たとえば、ロバート・デ・ニーロとか。
鎌　田　ロバート・デ・ニーロは自分を変えられる。
ハナムラ　変えられる。
鎌　田　トム・クルーズ以外に、変えられない人は誰ですか。
ハナムラ　高倉健かな。健さんは、どれを見ても健さんという感じがしませんか。
鎌　田　ああ、なるほど。日本でほかにはどういう人がいるのですか、わかりやすい例で。
ハナムラ　わかりやすい例ね。木村拓哉さんとかどうですかね？　どれを見てもキムタクという感じ。でも、その状況の中でのキムタクを演じている。もし、この状況にキムタクが置かれたらどういう振舞いをするのだろうかという。たぶんそれはキャラクターを演じているわけではないと思うのです。それはぼくもちょっと共感できるところがある。ぼく自身が芝居をやる場合には、キャラクターを表現したいわけではなく、その手前にある感情というのでしょうか。人間がこのシチュエーションに置かれたとき、どう反応するのかという心の動きのほうに関心がある。そういう意味で、ぼくはどちらかというとあまり演じたくないタイプなので、舞台は向かないのかもしれません。
鎌　田　そうすると、変わらないタイプということなのですか。
ハナムラ　どちらかというと自分を変えないタイプですね、その話でいけば。

## 人間はリアクションにすぎない

鎌田　そうすると、コンテクストが重要になる。違ったコンテクストの中に身を置く。

ハナムラ　そうですね。このコンテクストの中に置かれた自分の反応が重要になるというイメージです、ぼくの場合は。

鎌田　テキストはそんなに変わらない。コンテクストの中に置かれたときに変化が訪れる。

ハナムラ　というか、もともとテキストなんかないんだという考え方に近いのかもしれない。アクションではなくて、リアクションをしていく。人間なんてある状況におけるリアクションにすぎないという考えです。

鎌田　なるほど。わたしはもともとテキストしかないから、もともとテキストがないという事態に、どうやったらなれるのかな？

　宇宙はテキストで、自分の中にもそういう宇宙があると思っているわけです。その自分の宇宙は、巨大宇宙の一つのミニマムというか、ある変形か、踏襲された一部にすぎない。

ハナムラ　それはそのとおりだと思いますね。

鎌田　その一部を通して、さまざまなものに接続することは可能だと思う。だから、論理的には何にでもなれる。だけど、自分というのは固定されていない巨大なテキストの中の、本当にミニマムなテキストだと思う。

ハナムラ　おっしゃるとおりだと思います。そこまでテキストを拡大すれば、ぼくの感覚とまったく矛盾はないですね。すべての物事は移り変わっていく現象であり、自分というのも単なる現象なのだと。宮沢賢治ではないけれど、「わたしという現象」がそこにあるだけです。

だから、その人物というテキストはあったにせよ、それはアナグラムされたり、新たなテキストが追加されたりと、コンテクストに応じて組み替わっていって、そのときに応じた人物がそのつど現れるという感じですね。

鎌　田　言葉にはいろいろな言語があるじゃないですか。日本語があったり、フランス語があったり、中国語があったりする。だけど、言語という共通のシステムもあるのですね。でも、それは実際の言語ではない。英語とかドイツ語とか、そういう具体事象たるものがない。だけど、一般言語学のような、言語というものの普遍的な仕組みはやはりある。

いちばんの言語はやはりDNA語だと思う。だから、わたしは十分に英語はしゃべれないけれど、DNA語だったらいける。つまり、DNA語を持っていれば、あらゆるものに翻訳可能だという可能性はいつもあるわけです。だけど、実際に運用できるかどうかは修練が必要です。コンテクストの中にうまくDNA語を流し込んでいくことができないといけないでしょう？

ハナムラ　そうですね。

鎌　田　そこには、学習なり実践なりが、やはり必要です。

ハナムラ　一見複雑そうなコンテクストをちゃんと見つめると、人が生きていく上で本当に重要なコンテクストは、そんなに数が多くないような気がしてきます。どこへ行っても、寝て、食べて、起きて、笑って。どこであってもどんな人でも、生きる上での行為や心理の基本構造はそう変わらないのではないでしょうか。以前、ぼくはバングラデシュにある貧困の村を守る堤防を、ヘビのかたちをした彫刻作品としてつくったことがあるのですが、そのときに言葉の通じない現地のワーカーと一緒に土を運搬したり、工事をしたりしたことがあります。向こうはベンガル語なので、何を言っているのかまったくわからない。こちらは英語でしゃべっている。まったく通じていないのですけど……。

鎌　田　でも何か、通じている。

ハナムラ　そうなんです。言葉は通じないのですが、互いにどういう気持ちなのか、そして何がやりたいのかすべてわかるのですね、やはり。

鎌　田　それが、わたしの言うDNA語みたいなものだ。

ハナムラ　だから、ある共通のコンテクストの中に置かれたときに、自分たちが言語ではないものでコミュニケーションをしているのを感じることが、よくあります。

鎌　田　芸能というのは言語に関して、そのへんのスタンスをうまく使っている。たとえば、ビートルズを最初に聴いたときなど、歌詞はまったくわからない。だけど、歌の意味世界では

ハナムラチカヒロがバングラデシュで制作したヘビのような堤防の彫刻作品

ない、もっと巨大な意味以上の意味みたいなものが入ってくるから、感動するのですね。それはある種、心というものに近い。ハートというのか、スピリットといってもいいかもしれない。そういうものが、ガアッと入り込んでくるでしょう。

## 意味不明の細男《せいのお》に衝撃

ハナムラ　役者の表現も含まれるのかもしれませんが、自分が美術や空間作品をつくるときにいつも考えているのは二つのアプローチです。一つは、さきほど言った「意味」の話です。これは言葉で、ある程度説明可能なものかと思います。もう一つは、「知覚」に迫るものが重要だと思っています。こちらは言葉ではないものですね。要するに、身体に迫ってくるような表現ですね。

鎌　田　極めて感覚的な具象ですね。

ハナムラ　具象です。まさに感覚的なこと。その感覚的な要素と意味的な要素との二つが矛盾なくパチッと合ったときに、すごくいい作品ができるというイメージがあります。コンセプチュアルだけでも駄目なのです。頭でっかちのアートはまったくつまらなくて。

鎌　田　確かに。

春日若宮おん祭の細男

ハナムラ　逆に、体にだけ迫ってきても、すごかったけどちょっと意味がわからなかった、となる。アートとしてはこちらのほうが優れていると思うのですけど、この意味と知覚の両方が深いレベルで出会ったときに、「ああ、これはすごい、感動する」となるように思います。音楽でいうと、たぶん歌詞と曲のバランスがバチっと合ったときに、名曲になるという感じではないかと。

鎌　田　十年くらい前かな、奈良県の春日若宮のおん祭を見に行ったときに衝撃を受けたことがあります。何に衝撃を受けたのかというと、能の「翁《おきな》」の前に「細男《せいのお》」という芸能をやるのです。

ハナムラ　ぼくも見たことがあります。六人でやるものですね。

column

# 春日若宮おん祭と細男《せいのお》

鎌田東二

　奈良時代の神護景雲二（七六八）年、春日大社四殿（第一殿、鹿島神宮の武甕槌命、第二殿、香取神宮の経津主命、第三殿、枚岡神社の天児屋根命、第四殿 比売神）が創建され、平安時代後期の保延元（一一三五）年に第五殿若宮社（天押雲根命）が加わった。現在、十二月十七日に実施される「おん祭」は、保延二（一一三六）年旧暦九月十七日に始まった。時の関白藤原忠通が、大雨洪水による飢饉と疫病に苦しむ時代の救済のために春日野の地に第三殿の神・天児屋根命と第四殿の神・比売神の御子神の若宮天押雲根命の神霊をお迎えし、神楽や雅楽を奏して丁重にお祀りしたのが起源だとされる。以来、途切れることなく五穀豊穣・万民安楽を祈る祭りとして続けられている。

　十七日午前零時、百人ほどの榊を手にした白衣姿の神職や神人に囲まれて若宮神が動座し（遷幸の儀）、神楽や芸能の奉納を含む手厚い饗応を受けて、同日夜十二時までに若宮殿に還る（還幸の儀）。その間に行われる御旅所祭の奉納は、神楽・東遊・田楽・細男・神楽式（能・翁）・和舞・舞楽の順であるが、その中で、「細男」は白衣を身にまとい，白布で顔を覆った六人（舞人二人、笛師二人、腰鼓打ち二人）により演じられる。笛師二人がラ（A）音とシ（B）音を交互に単調に吹き鳴らす中、舞人二人と腰鼓打ちが交互に単調に左回りに四角に舞う。

　そんな所作が八分ほど繰り返され、えも言われぬ不思議な呪術的世界が現出する。この舞は安曇《あずみ》氏の磯良《いそら》の神が顔に牡蠣などを付けて醜いので白布で顔を隠して舞われるとされる。世阿弥の『風姿花伝』第四神儀篇に「申楽、神代の始まりといふは、天照大神、天の岩戸に籠り給ひし時、天下常闇になりしに、八百万の神達、天の香具山に集り、大神の御心をとらんとて、神楽を奏し、細男《せいのお》を始め給ふ」とあり、「神楽」に続き「細男」が申楽（能）の系譜であると位置づけられている。細男は能の発生に深く関わっている。

鎌　田　ええ、そうです。順番で言えば、「田楽」があって、その次に「細男」をやって、その次に能の古いかたちの「翁」がある。田楽と翁の間に細男が挟まっている。その細男は白装束で白い覆面をして、踊りともいえない踊り、音楽ともいえない音楽をやる。それがじつに下手っぴいなんです、すべてが。

ハナムラ　ぼくもそう思いました。

鎌　田　まるで美しくない。音楽だったらメロディーなり、何かしら意味性を持っている。メロディーというのは、意味そのものではないけれど、何か感情を伴う意味性を持っているものですね。細男の音楽はまったくそういうものではない。ただの調子外れにしか聞こえないような響きを、あえて奏でている。これはいったい何なのだとものすごく衝撃を受けた。これほどのアバンギャルドはない。こんな時代に、こんな革新性のあるものがあったのかと、非常に感動したのです。感動しただけではなくて、呪術というか、大変不気味な、不思議な、深層にあるものをぐっと呼び出していくみたいな力もあって、まったく意味性はわからない、コンテクストもわからない。そこに詰め込まれたテキストの宇宙が見えない。けれども衝撃を与えるという……。

ハナムラ　神秘的というか呪術的ですよね。ぼくも一昨年、細男を見たのですが、おっしゃるとおり、まったくうまくないし、動きも下手っぴいだし。音楽なのか踊りなのかもわからないし……。

鎌田　わからない、わからない。

ハナムラ　奇妙な動きを繰り返している。あれは何をやっているのか、ぼくらにはわからないのがおもしろいと思うのです。でも、絶対彼らなりの何か基準や補助線があるはずです。

鎌田　そうですね。

ハナムラ　それが、ものすごく陳腐なものなのか、ものすごく偉大なものなのか。とにかくぼくらの常識では計り知れないものがそこで起こっているという表現には驚愕しました。

鎌田　あれだけ外せるというのか、音にならない音。ジョン・ケージの音楽や、マルセル・デュシャンの絵画にも似たような、いままでの概念を覆すようなもの。たとえば、雅楽があるじゃないですか。雅楽の音の世界というものがあって、一つ一つにきちんとしたテキストなり、意味づけがあって、それを学んでいく修練のプロセスがあって、うまい、へたが感じられて、いい雅楽か悪い雅楽かはわかるわけです。ところが、細男に関しては、そういう読み取りが一切不可能です。意味はまったくわからないけれども、その読み取り不能がもたらす、何かそのもの自体で迫ってくる力がある。

ハナムラ　意味が全部剝奪されているのですね。

鎌田　だけど、そこに現前しているものがあるのです。それが圧倒的に自分を呑み尽くしていくというか、自分が津波に呑み込まれた、か弱いネコみたいな感じになる。

## 外側からつくられるわたし

ハナムラ　さきほどの話に戻すと、やはり型芝居というのはある記号によって勝負しようとしている。怒りの記号とか、笑いの記号などを配置することで人間を表現しようとしているのですけれど、ぼくはそういう表現に現れる記号ではない人間の感情を信じているのかもしれません。たとえば、本当に人間は怒っているときに怒った顔をするのか、うれしいときに笑うのだろうか。そうした内面と表現の単純な対応関係に疑問を持っています。

われわれは、かなりの部分、外側からつくられているのではないかと思うのです。悲しいときにはこういう顔をするのですよ、うれしいときにはこういう顔をするのですよと、小さな頃から洗脳されて植えつけられている。

だから人間が生きて、何かを表現するのは、壮大な演技の連続なのだと思います。三歳の子どもでも、お母さんに振り向いてほしくて、笑ったり泣いたりするのは、演技だと思うのです。しかしそれが剝奪されたところに、人間のリアリティみたいなものが立ち上がってくる瞬間があるような気がしています。ぼくが芝居を通して追いかけたいのは、そういう部分かもしれません。

鎌　田　ハナムラさんのいう演技と、わたしのいう言語は、ほぼ同じですね。

ハナムラ　同じかもしれないですね。

鎌　田　つまり、一般言語というのは、いまハナムラさんが言ったように、お母さんを振り向かせたいために笑うか、「お母さん」と呼びかけるかですね。それが同じ機能を持つわけではないですか。ある種のコミュニケーションや理解可能性というものを生み出す。

だけど、わたしたちの世界は、もっとぶよぶよしているというか、よくわからないもの、そんなに分節できない部分を含み込んでいる。われわれはそれを分節して、われわれの目に沿う、ヒューマンサイズにして理解するわけですね。

でも、本当にヒューマンサイズがリアルかといったら、そうではない。それにどう迫れるのかはわかりませんが、ヒューマンサイズを超えるための仕掛けを見つけて、ネイチャーそのものとか、ヒューマンサイズやヒューマンスケールを一回外したときに見えてくるものを探していく。

わたしは死もそうだと思っているし、芸能の神髄の一つもそこにあると思う。それから、宗教の世界は、さきほどの瞑想に非常に深く関わっている。

ハナムラ　ぼくは、自分でよく使う「異化」という言葉を、そうした射程範囲で捉えています。ぼくらがこの範囲と信じている現実に切れ込みが入って、その外側が示された瞬間、まだ世界には奥があるという現実感や世界観が現れます。芸術家にはそういうことを暴く役割があるように思います。

　ぼくらが普段は疑わない常識であったり、信じている世界観みたいなものの外側にある何かを照射する。そうした世界の外側や裏側を見せてくれるようなものが芸術ではないかと思っていて、そうした表現に関心を持っています。そういう意味でいうと、ぼくの中で宗教も、芸術も、芸能も、あまり区別はないのかもしれません。

鎌　田　それはまったく同感ですね。わたしも同じです。

# 第2章
# 異化するデザイン
## †見方を変えると風景が変わる

## 少年時代のランドスケープ

ハナムラ　ちょっと長い話になるのですけれど、なぜぼくが聖地に関心があるのかということをお話ししたいと思います。ぼくは物心つくあたりから育ったのが生駒山の中腹なのです。

鎌　田　へえー、すごい。聖地そのものだね。

ハナムラ　ええ、そのときは意識していませんでしたが。生駒山の大阪側の斜面、大東市の端っこのほうです。駅でいうとJR学研都市線の野崎駅のあたり、野崎観音があったりします。あの近くの山の中腹で小学生時代を過ごしました。ニュータウンのいちばん上にあった家なのですけど、山の斜面にあったので、大阪平野が、もっともよく見える家だったのです。そんな場所で野山を駆け巡って、サワガニを獲ったりして育ったのですが、そのとき、「自然とは何か」ということをずっと考えていました。ぼくが見ているこの山とか、振り返って見える町というのはいったい何なのだろうとずっと考えていました。

鎌　田　それがランドスケープにつながっていくわけですね。

ハナムラ　そうなのです。その頃は、当たり前に身の回りにある自然現象に興味を持っていて、表面張力なども小さい頃には不思議に感じていました。水の表面に手をぴたっと当てると水から抵抗がくる、すごく不思議な感じがあった。一方、当時はファミコンなどが出てきた時代で、友達はみんなコンピュータゲームで遊び始めていたのですが、ぼくはあんまり興味がなくて。

鎌田　何年生まれですか。

ハナムラ　一九七六（昭和五十一）年です。毛沢東が死んだ年です。『徹子の部屋』が始まった年、ロッキード事件があった年です（笑）。

自然に恵まれたところで育って、自然に対して非常に興味を抱く少年時代を過ごしたのを覚えています。母が韓国から嫁いできたこともあってか、東洋の思想にも惹かれるようになりました。小さいときに、父親が買ってきてくれた『三国志』の影響で、中国の思想にも触れるようになって、気功《きこう》であったり、身体技法みたいなものにも関心がありました。高校の頃に少しだけ八卦掌《はっけしょう》という拳法をやっていました。

鎌田　八卦掌はなかなか難しいね。

ハナムラ　八卦掌は太極拳などと同じく北派の拳法です。そこから道教の教えに出会ったりして、それを入り口に、風水や陰陽五行に関心が湧いてきたのです。

その頃のぼくは、これと並行して医者になろうかなと漠然とながら考えていました。父親を十四歳で亡くしたという個人的な出来事もあったのですけど、何か社会に貢献したいという気持ちがあって、お医者さんなら人を救える仕事だろうと思っていた。中でも人間の精神に関心があったので、精神科へ進もうかという想いが漠然とありました。

でも、東洋思想に触れていく過程で、ちょっと違うかもしれないなと思い始めた。当時、地球環境問題が表面化してきた時代だったこともあり、医者よりも対象をトータルに捉えて、より多くの人を救える方法があるんじゃないかと考えるようになりました。その頃はランドスケープデザインは知らなくて、地球環境問題へ取り組む方向、それも包括的に捉えた地球の医学みたいなことができないかと考え始めたのです。そんな時期に出会った本の一冊が、ジェームズ・ラブロックの本です。

鎌　田　「ガイア仮説」。

ハナムラ　「ガイア仮説」ですね。彼が書いた『ガイアの時代――地球生命圏の進化』（邦訳は工作舎、一九八九年）という本があって、地球有機体説とも言われますが、地球を一つの生命として見る世界観ですね。彼は、微生物のネットワークや、大気の流れから岩石といった無機物までを含めて「地球は一つの有機体である」といった説を唱え、ぼくはそれを読んで衝撃を受けたのです。それで、生命環境を扱っている農学部に進んだ。「ガイア仮説」といったことの可能性を考えてみたいと生命環境科学の入り口に立ちました。

そんなぼくのモチベーションをおもしろいと感じてくれた生態学の先生もいたのですけど、それまでの科学研究の枠組みではあまり相手にされない研究であることも知った。それで結局ランドスケープデザインの角度から具体的な都市や地域の問題に取り組む方向に向かいました。当時はぼくの恩師にあたる、その方面の先生の言葉や考え方にとてもリアリティを感じたとい

アスプルンドによる森の火葬場のランドスケープデザイン

う理由もあります。緑地計画とか、公園のデザインとか、都市の中で緑や自然をつくっていくような領域ですね。「地球」という捉えきれないほど大きなスケールではなく、「地域」というう中くらいのスケールで社会に貢献することのほうがリアルだったので、緑地計画の研究室へ進みました。そこでランドスケープデザインに出会っていますに至っています。でも、ランドスケープデザインという言葉は、それまではまったく知らずにいました。

鎌田　それは、一九九四年頃？

ハナムラ　一九九六年頃から二〇〇二年頃にかけて。

鎌田　阪神・淡路大震災（一九九五年）のあとですね。

ハナムラ　そうです。阪神・淡路大震災後に、ぼくは大学に入りました。阪神・淡路大震災は大阪で経験しています。

## 生命を扱うデザイン

ハナムラ　緑地の研究室でやっているのは、かつては造園や林業が担っていたことです。建築、土木、造園という領域は、大きく言うと、全部、建設業界の領域なのですけれども。日本の場合は産業構造としてもっとも強かったのが土木なのです。その次に建築があって、建築は土木の十分の一ぐらいしか人数がいなかった。造園は、さらに建築の十分の一ぐらいなのです。造園はすごく弱小なのですけど、同じように空間を建設するという仕事です。その技術体系のようなものはすべて建築や土木の中にあるのです。工学的に図面を引いて、工学的に設計をして、町の中の道路とか、都心の景観などをつくっていくという職業です。

でも、造園は建築や土木と本来的に違うとぼくが思っているのは、生き物を扱っているということなのですね。生命としての樹木を植えるとか、芝を張るとか、庭をつくるなどという技術、それは建築や土木がやっている工学的な技術とまるで違うものがあるんじゃないかという直観があったのです。工学とは違って生命学というか。樹木を見たときに、建築家は樹木を物体として扱うのですけど、本来、樹木は命です。それは種からずっと大きくなってきて、いつか枯れていくものであって、そんな時間軸に沿った捉え方をするべきなのではないかと。
鎌　田　全体が生態学ですよね。
ハナムラ　そうなんです。
鎌　田　工学でも物理学でもなく。
ハナムラ　自然学、生命学の範疇です。ただ、われわれがランドスケープデザインなり緑地をつくるなりするときに持っている手法というのは、おおむね工学や建築技術の中にあるのです。
鎌　田　デザインが、そもそも工学的。
ハナムラ　そうなんですよ。なので、その中で進めていって本当にいいのだろうかという疑問が漠然とあった。ぼくらが扱っているのは生き物なのに単なる物体を扱うようにしてもいいのだろうか、という感覚があったのですね。だから自分の出会ったデザインの入り口がこうした生命を扱う領域だったことは、ぼくにとって幸運だったと思っています。いわゆる工場生産されたモノのように静止した物体を扱うスタティックなデザインではなくて、森のように常に動き続けるダイナミズムの中でデザインを考えていく感性を養えたのが、いま考えると重要なポイントだったのだろうなと思います。
　通常はランドスケープデザインに入るのに、学問的バックグラウンドとして踏まえなければならないものが大体三つぐらいあります。芸術から入るか、建築から入るか、農学から入るか。

自分の指向性もあるのですが、ぼくが農学から入ったのは、すごくラッキーでした。

鎌　田　生命科学のほうから入った。

ハナムラ　はい。でも本来は生命科学であれば、設計の方法とか、模型のつくり方とか、図面の引き方なども、工学的な発想とは全部、違ってくるはずなのです。しかし、設計そのものが持っている手法は、近代的な建築技術の中の技法でしかない。そのことに、ある種の貧困さや、限界があると思っていました。

住環境をよくしていくとか、都市のアメニティを高めていくことが社会的課題のときは、機能的な話としてある程度技術で解決できる部分はあると思うのです。でも、すでにモノはみんな持っていて、社会環境もそこそこ満たされている状態になったときに、果たしてこれまでの技術で解決できるのだろうかという疑問が出てくる。

モノは十分にあるのに、どこか満たされない人々の気持ちや、ぼくたちが暮らしの中で襲われる、どうにもこうにもやりきれないような想いは、公園のような近代的な装置をつくることで解消されるのだろうかという疑問があったのです。そうしたこれまでの方法とは決定的に違うつくり方が必要なのではないかと。

そのヒントが、ひょっとしたら古くから人々が感じている「場所の力」にあるのではないかというところから聖地の研究に入っていったのです。

鎌　田　そういう関心が生まれたのは二〇〇〇年前後ですか。

ハナムラ　人間の心とは何かということに対する関心自体はずっと古くから持っていたのですけれど、聖地に関して自覚的になったのは最近ですね。

鎌　田　二〇一一年の東日本大震災後ぐらい？

ハナムラ　その前後ぐらいですかね。確かに東日本大震災で自覚的にはなりました。

いまの話とも関係するのですけど、聖地に関心を持った入り口がもう一つあります。ぼくは「風景異化」という理論で博士論文を書きました。その動機としてランドスケープの設計において、木を植えて、道をつくって、小山をつくることで風景ができたとすることに、すごく違和感がありました。そうした記号を配置することで本当に「風景」などできるのだろうかと感じていたのです。その配置によって公園はできたのかもしれないけど、「はい、みなさん、風景ができましたよ」とは言えないのではないかと。それはぼくの感じている風景のリアリティとはちょっと違うぞと思っていました。

たとえば、同じ公園でも失恋したときに行くと、ものすごく寂しい風景に見えるけど、何かが成功したときに訪れたなら、すべてが輝かしく見える。同じ場所を見ているのにまるで違う風景が見えるわけです。毎日見る夕日が違う夕日であるように、風景というのは常に移り変わっていく。そうした風景観が自分の中にリアリティとしてあります。その一方でランドスケープデザインは風景をデザインするとうたっているのに、対象物をつくることだけで本当に達成できるのかという疑問があったのです。

そうした疑問から、対象物ではなく、見ているぼくたちの視点のセッティングをデザインしていく可能性を考え始めました。ぼくらの想像力であったり、人間の身体であったり、そうした見る者の状態をデザインしていくことで、同じものでも捉え方が変わると風景がまるで違ったものになる。そうした問いが、風景異化という理論に結びついています。

その文脈で考えたときに、聖地というのは非常に興味深い場所だなと思っています。ある人にとっては、ある岩がものすごく聖なるものであっても、別の人にとっては単なる岩にすぎないという場合がある。この違いは、見る者の想像力であったり、身体性からくる相違が大きい場所なのではないかと。

一つの対象物が、まるで異なる角度から解釈されてしまう場所というのはいったい何なのだろうということと、その反対に、その違いによらず、みんなが共通して場所の力を感じるのはいったいなぜなのか。そうしたところに関心を持っています。それで、六、七年ぐらい前から、聖地という場所が自分の中で非常に気になる存在になってきて、考え続けるようになりました。

## デザインとはサインの否定か

鎌　田　原点的なところを質問していきたいのですが、そもそもデザインとは何かということを、ハナムラさんはどう考えているのでしょうか。

というのは、「デザイン」という言葉の語源はわかりませんが、もし「デ・サイン」だとすると、サインを異化するとか、否定するとか、そういう機能がデザインにそもそもあるのかどうか。デ・サインの「デ」が、「デコンストラクション」の「デ」とも似て、捨てるとか、分離するとか、減少するとか、否定するとか、そういうある種、異化的なはたらきとしてあるならば、当然、サインを組み換えることになりますね。あるいは、サイン・記号・符号・かたちを変え、シフトすることになりますね。そういうサインの読み取りと、サインを変換するという意味性や役割をデザインは持っているのか。あるいは、そういう理解でいいのかどうか。

ハナムラ　いくつか確認しながらいきたいのですけど、まず「デザイン design」の語源は、ラテン語の「designare」という言葉からきているのです。

鎌田　「signare」ね。シグナル。

ハナムラ　そうです。「designare」という言葉からきていて、そこからデザインという言葉になっています。その言葉が使われ始めたのは十七世紀ぐらいからですね。

もともとの意味合いとしては、頭に構想していることをアウトプットするという意味なのです。つまり、思考を外部にサインとして出していくということだと思うのです。図面を引いたり、記号表現をしたりとか。

鎌田　そのときの「designare」の「de」はどういう意味ですか。

ハナムラ　さきほどの問いかけは、なるほどと目からうろこだったのですけど、否定というのは、だいたい un, mis, in, dis, non のような接頭辞でしょう。だから、ぼくの理解している範囲では、デザインの「de」にそういう意味合いがあるのかどうかはわかりません。どちらかというと、頭にあるものをアウトプットしていくという理解です。

鎌　田　それなら、「signare」でもよかったのじゃないですか。なんで「designare」である必然があったのか。「signare」というのは、そのままストレートにサインする、署名するということだから。

ハナムラ　それを頭から外に出すことを「de」としたのかどうかということだと思うのです。

鎌　田　引き出すことをね。

ハナムラ　はい、引き出すことを。頭の構想をアウトするというか、それを記号として表現し定着させることからデザインという言葉が生まれたのではないかと思います。

デザインが隆盛を極めたのは、十九世紀末から二十世紀にかけてです。産業革命以降、デザインという考え方がぐっと前面に出てきた。

鎌　田　まずは工業デザインの中で出てきた。

ハナムラ　そうです。それまでは頭で構想しながら同時に手で、ハンドメイドでつくっていた。つまり、手と脳がばらばらではなかった。

鎌　田　一品性というのか、限定されてある。

ハナムラ　歴史の長い時間では、すべての生産物は一品限りのオリジナルだったのです。すべての生産が職人の手によってつくられていた頃は、デザインではなく、手の技術を意味するアート（art）だった。手の技術だったものが、産業革命によって、機械が手の代わりをするようになった。そうすると人間は頭の中のものをアウトプットするだけでいい。

鎌田　なるほど。プログラムだけでも成り立つ。

ハナムラ　デザインだけすれば、あとは機械がつくってくれる。だから、デザインという役割が非常に重要になってきた。

鎌田　ということは、デザインとは極めて工学的な概念だ。

ハナムラ　もともと記号から出発していたということですね。二十世紀の間に、そのデザインがいろいろに変容していくプロセスがあった。これがじつは、十九世紀末から二十世紀頭にかけてデザインがアートから分離していった時代に、現代アートのような表現が出てきたことが関係していると、ぼくは思うのです。

つまり、機能的なものとか合理的なものなどは全部デザインが引き受けたのですね。だから、アートは純粋に、メッセージ性であるとか、知覚の変容であるとか、そういうことにより特化することができるようになったのではないか。要するに、美術館に収められているファインアートといわれているものと、日用品のようなロウアートと呼ばれるものがあるとすれば、そのロウアートの造形をデザインがリードしていくようになった。

純粋に絵画とか、音楽とか、演劇という、何かのためにやるわけではないような、表現のための表現。何かの機能とか有用性を持っていない精神的なものを表現することがアートとなり、日常の中から美術館や劇場へと分離していったのではないかと思うのです。
その分離を取り戻そうとする動きとして、ウィリアム・モリスや柳宗悦、そういう人たちが、いわゆる施設の中に囲われたアートではなくて、日常生活の中に美を取り戻していく必要があると唱えた。
鎌　田　柳宗悦の「用の美」とか。
ハナムラ　そうですね。それを取り戻していく必要があるんだということで、何度となくトライして闘う人々が現れる。それがまた工業化に敗れていく。でも、工業化の中で、そういうものをもっと合理的に、かつ美しくつくっていくにはどうしたらいいかということでさまざまな運動が生まれ、ドイツのバウハウスへとつながっていきます。
そんなプロセスを辿りながら、二十世紀を通じて、デザインとアートというのは裏表の関係にあったと思うのです。とくに二十世紀において、デザインの世界を理論的に引っ張ったのは建築なのではないかと思っています。都市が物理的に急激に変わっていって、大きな建物がどんどん建つことで、目の前の風景がすぐに変わっていってしまうわけです。
鎌　田　確かにそうでした。
ハナムラ　なのでやはり建築の工学的な部分に主眼が置かれます。工学がものすごくデザインを引っ張っていった時代を経たので、デザインの根底に工学が置かれてしまったのではないかと思うわけです。

鎌　田　なるほど。

ハナムラ　それが変わり始めたのが、一九六〇年以降、ポストモダンの時代だと思うのです。あの時代ぐらいから、ちょっとデザインの在り方が変わってきたのかもしれません。

鎌　田　何があって、どういうふうな問いかけによって変わってきたのですか。

## 欲望をかき立てるデザイン

ハナムラ　それをお話しする前に、もう少し前の時代に戻ると、はじめにデザインが生まれた黎明期には、世界はヨーロッパを中心とする時代でした。それが大きく変化していくのは、世界の舞台がアメリカに移ってからで、デザインの在り方も大きく変わった歴史があります。何が変わったのかというと、イギリスやドイツなどのヨーロッパのデザインの根底は、デザインによって社会をどう構想していったらいいのかとか、人々の生活をどう牽引していくのかといった、ある種の公共心や倫理感みたいなものに支えられていた。それがアメリカに移って、商業主義とか消費主義のほうに主眼が置かれるようになってしまった。

鎌田　大量消費ですね。

ハナムラ　はい。大量消費の時代になって、デザイナーたちは、人々の欲望をどうやって焚きつけるか、欲望を生み出すカタチとは何かという方向に移っていってしまうのです。それで、デザインの中から思想がそぎ落とされていって、それがインダストリアルデザインというものに移っていく。

鎌田　人に買わせるためのシグナルを誘惑的に発信する。

ハナムラ　欲望のシグナルをかき立てるマーケティングと結びつくわけです。有名なのは、GMとフォードの闘いです。フォードのほうはもともと馬車をつくっていたので、ずっと変わらないモデルをつくっていたのに対して、GMは「そのモデルはもう古くなっているよ」と焚きつけるように、毎年モデルチェンジをしていく。それにデザイナーは加担していく。

鎌田　購買意欲をかき立てていった。

ハナムラ　そうなんです。それで売り上げがぐんぐん伸びていくのです。人の欲望をかたちにしていくだけでなく、それまで持っていなかった欲望すらかき立てるという方向に、デザイナーが加担していくことが中心となった時代です。それはメディアや商業化と絡み合いながら発展していきました。産業革命の最初は、ある意味でモノの民主化だったと言ってもいいかもしれませんが。それまで貴族しか持てなかったものが、産業革命によって大衆も持てるようになったのですから。

デザインの始まりに戻ると、重要な役割を果たしたものが二つあると考えています。一つは万国博覧会です。万博によって世界中からものが集められることで、自国のものと他国のものとが比較され、アイデンティティを賭けた切磋琢磨が起こります。単なる博覧だけではなく、どちらが美しいものをつくっているか、どちらが優れたもの、優れた文化を持っているかということを競争し合う場にもなっていきます。その最初は一八五一年に初めて開かれたロンドンの万国博覧会です。

鎌　田　けっこう早いですね。

ハナムラ　産業革命のちょっと後なのでけっこう早いです。

鎌　田　江戸時代後期、ほぼ幕末だね。

ハナムラ　そうですね。万博がロンドンで最初に行われたとき、世界中からものが集められるわけです。インドのもの、中国のもの、日本のもの……。美しい漆器であったり陶器であったり、そういうものが並べられる中、産業革命の先進国イギリスが何を出品したのか。それは、世界に先駆けて、初めて人ではなく、「機械がつくったもの」を並べたのです。ところが、それがあまりに汚くて不細工だったと言われています。いまでは工業製品でもすごくきれいにつくられますが、当時は技術水準も低かったから、ものすごく不揃いで精度も甘かった。

ほかの国から集められたものはすべて美しいのに、わが国はこんなにみすぼらしいものを出したのかと、当時のイギリス人はショックを受けます。これではまずいということで、美意識を向上させねばと考え、集められたものを収蔵し、人々に見せられるようにした。それがアルバート・ミュージアムのようなデザインミュージアムや、デザインの学校、アーツアンドクラフツ運動などへとつながっていきます。国民が全員、美意識を向上させていかなければならないという危機感ですね。あの時代がデザイン思想の一つのルーツになっていると思います。

鎌田　一八五〇年代。ペリー来航（一八五三年）、ペリーショック。

ハナムラ　そのあたり以降ですね。そしてもう一つ同じ時代に出てきたものに写真がある。一八二五年にフランスでニセフォール・ニエプスが世界初の写真撮影に成功しています。写真は、モノの質感というよりも、カタチだけを抜き出して流通させることができる。これは記号として表現し、機械につくらせるデザインにとっても非常に有利だったのですね。だから、万博と写真はデザインが生まれる重要な背景になっていると、ぼくは思っているのです。

## 異化が見方を転換する

ハナムラ　そこから工学がさらに発展し、二十世紀に建築がデザインを牽引するという話につながります。そして一九六〇年代頃から、建築のほうでのポストモダンが始まると言われています。ちょうど六〇年代にロバート・ヴェンチューリという人が『建築の多様性と対立性』（邦訳は、鹿島出版会、一九八二年）という本を書いています。それまではモダニズム中心の時代だったので、世界は機械化していく方向に向かっていました。そんな流れで建築の答えも機能の中に置かれたわけです。二十世紀の前半は機能が中心であり、装飾は余計なものという考え方が支配的でした。機械のように機能に基づく設計が正解で、それまで建築を支配していた様式美というのは、機械時代には不必要だということで否定されてきたのですね。つまり、機関車に花柄の装飾をつけても機能上意味がないという否定のされ方です。機関車の設計では、ピストンからシャフトを通じて車輪を動かすためにいかに効率よく組み立てるのかが重要です。そんな思想で建築やデザインも進んでいきます。

鎌　田　機能だけでいいと。機能美……。

ハナムラ　そうなんです。その合理性こそが美しいのだと。

鎌　田　それがモダンでしたね、確かに。

ハナムラ　二十世紀の前半はモダンの時代です。美しいデザイン、いいデザインというのは、装飾をごてごてつけることではなくて、いかに合理的、効率的に機能を満たしていくのかが課題とされるようになっていきます。

それに対してアンチテーゼの出てくるのが一九六〇年代以降です。そうした機能がすべてではないだろうと。合理的な設計だけで本当に人間は幸せになったのか。そんなことが突きつけられた。そこからポストモダンの時代が始まります。

渡辺豊和のポストモダン建築「龍神体育館」

一方で、その反動が大きすぎて建築やデザインはかなり俗悪《キッチュ》なものへと向かっていきます。たとえば、ラブホテルの建築とか、パチンコ屋の建築みたいな感じで、飾りがベタベタつけられていってしまう。それがポストモダン建築といわれている建築の様式です。

鎌田　非常にバロック的になっていく。

ハナムラ　歴史からさまざまなものが参照されるから、ギリシャのドーリア式の柱がある上に中華式の屋根が載っていたりと、もう何でもありで、コラージュのようになっている状態。それがポストモダンの時代の建築です。だから、デザインがある種、混乱した時代だと思うのです。

そこから後の時代にぼくらは生きているので、デザインの概念がもう少し拡大しています。つまり、ものをつくっていくということだけではなくて、本当の課題は何なのかということにフォーカスしていくようになった。情報技術の台頭も合わさり、ものをつくることだけでなく、そこで問題になっていることを解決していくのがデザインという行為になっているのではないか。そんなところまでを射程範囲に収めるデザイン概念が、二十一世紀には共有され始めています。だから建築デザインとかグラフィックデザインというように、デザインする対象を指し示す呼称だけではなく、インクルーシブデザインやソーシャルデザインのように、対象物が明確でないようなものも含まれるようになります。その文脈に、ぼく自身が唱える「まなざしのデザイン」もあるという理解です。

そんな流れの中で、さきほどのお話に出た、「de」していく、サインをはずしていく、組み換えていくようなところまで、デザインは拡大し始めていると、ぼくは思っています。そして、そうした役割をこれまで担ってきたのは、むしろアートなのではないかと思うのです。

鎌田　ハナムラさんがやっているのは、そのへんのところですよね。

ハナムラ　そうです。まさにそのあたりですね。

鎌田　アートと言えるかどうかわからないけど、デザインでそれをやっているわけだよね。

ハナムラ　どちらかというと、アートの考え方を使ってデザインをしたいという感じなのです。

鎌田　アートデザイン。

ハナムラ　アートの持っている多面的な物事の見方が、ぼくらの目をデザインすることになるんじゃないかという、ちょっとトリッキーな考え方です。

鎌田　わたしから見ると、デ・ザインが「designare」というラテン語からきていて、「de」という接頭辞が「deconstruction」の「デ」のように、否定的な意味合いを持っているとするならば、その「signare」を変えてしまうほどの何かがデザインである、と読み取ることができる。とすると、アートとデザインもかなり近いものになっていく。人間がつくり上げていくさまざまな常識のビルディングがあったとすれば、それに対してデザインが本来持っている可能性、ポテンシャルが、人間の知覚の組み換えや見方を転換することにつながる。

ハナムラ　おっしゃるとおりです。社会の課題はもうそちらに移ってきていると思うのです。要するに、いままでは解決しなければならない課題がクリアだった。たとえば、寒かったら暖かさを確保するためにこういう家をつくるとか、地震の多いところでは壊れない家をいかにつくるかなど、満たすべき機能の要請が明確だった。でも、機能や効率はすべて満たされてしまったのに、なぜみんな心が満たされていないのかとなったときに、社会の本当の課題はもっと精神的なところにあったということに気づき始めた。いまでも日本の自殺者は発表されているだけで年間三万人いますからね。失踪者とか、心の病を抱える人などを含めるともっと膨大な数の人たちが苦しんでいる。

それはいままでのぼくらが思っていたデザインの手法では解決できない。となると、ものの見方であったり、マインドセットであったり、そこをドラスティックに変えていかなくてはいけないのではないかと思っている。
それで、宗教とかアートとか、いろいろなところを探しています。どうすれば、ぼくらの心が本当の意味で豊かになっていくのかということを考えねばならない。そのためには、いままでぼくらが見ている世界の見方を一度外してみて、違う角度から見直す。まなざしのデザインが必要だと思っています。

鎌田　それが異化ですね。

ハナムラ　そうです。一度外して違う方向から見てみたら、じつは答えだと思っていたことが問題だったということに気づく可能性もあるのだと思うのです。

鎌田　わたしは宗教のほうに入っていったので、デザインと宗教との間をどう考えるかということで、二つの視点から話してみたいと思います。

じつはわたし自身が建築にはかなり深く関わってきたのです。どういう経緯かといえば、橋本忠美《ただよし》という、わたしのいとこが建築家なのです。彼が千葉工業大学に入って建築科の学生になった頃から、非常に親しく交わってきました。一九六〇年代の建築科の学生だから、彼もまさにポストモダンという時代の波をもろに受けて、ある種、全共闘的な視点を持った、あの時代のカウンターカルチャー的な建築を考えていたのです。

その中から出てきたコンセプトが「見えない建築 invisible architecture」。アメリカからだったかな、そういう概念が出てきた。それまで近代建築というのは、機能重視で効率的にすべてをアウトプットしてビルディングにしていったじゃないですか。それで、都市計画をしてどんどん大きい建物を建て、街並みを変えて風景をつくり上げていった。資本主義や商業主義がそれを支えて、万博などが見せ物の装置になったわけですよね。

でも、そういうものによって人間の生活は本当に楽しく、豊かになったのかといえば、そうはなっていない。自分たちは、なぜこれほど疎外された感じを持ったり、いろいろなものに押しつぶされそうになっているのかというところを建築家が問いかけて、建築のニューウェーブが生まれてきた。

ハナムラ　そうですね。

鎌　田　そのときに「見えない建築」の人たちもいた。つまり建築がもっとアート的になっていくわけです。空間というものをどういうふうにおもしろく見ることができるのか、といった視点が「見えない建築」にはあって、実際に工学的には建てることが不可能な建築まで生まれてくるわけですね。

「見えない建築」の中には、さまざまな建築のモデルがあって、外側だけは絵のように描けるわけです。だけど、それを支えるためには力学的に構造計算をして、しっかりとした組み立てを、材質とか、材料力学とか、そういうものに基づいて取り組まなければ実際の建築になりません。

そういうものを一切抜きにして、建築空間の意味といったこと、象徴性のようなことを問いかけていくという、そんな流れの一つが「見えない建築」だったと思います。

わたしは間近にそれを見ていたのです。建築家は実際にアウトプットしてお金をもらう仕事をするのだけれど、でも、建築家の可能性として、時代の関心がそういうアート的な建築デザインの方向へ移ってきているのを横目で見て、いとこととときどき会って話したりしながら、わたしは宗教や神話の研究をしていた。

## 宗教学者が設計コンペに参加

鎌田　そして、一九八〇年前後にはいとことコラボをしたのです。当時、彼は東京工業大学の青木義次という都市計画の教授の研究室で助手のような仕事をしていて、都市計画といっても農村における公共建築を、地方からの発注でつくっていた。新潟県の亀田製菓のあるところ（現在、新潟市江南区）の幼稚園とか公民館などをたくさんつくっていたのです。わたしはいとこから亀田地区のことを聞いて、じゃあ、わたしは亀田地区の民俗調査をするといって、その地区の祭りなどの調査をした。八幡神社などが、村々にあるわけです。それを一九七〇年代の終わりぐらいにやって、大学院のとき発表したりしました。その後に、東工大のグループが沖縄県名護市の市庁舎をつくる設計コンペに参加したのです。

象設計集団による名護市庁舎

その名護市の設計コンペの最終案として採用されたのが、いま建っている象設計集団の建物です。そのときわたしは、東工大のグループによる名護市の公共建築を設計するためのコンセプトメイクを担当させられた。

象設計集団は、すでに名護周辺でいくつかの公共建築をつくっていました。地元の世界観をうまく建築デザインに生かしていく建物で、まさに象設計集団は地域デザインの新しいタイプを生みだす、その先駆けの一つだったと思うのね。

ハナムラ　当時はそうでしたね。

鎌　田　象設計集団は必ずコンペに参加してくるから、われわれも意識していて、ライバル視していた。象設計集団に対抗できるようなものを出さねばならないという覚悟で、わたしは沖縄の世界観をモデル化して、それをどういうふうに空間デザインに生かせるかということに頭をしぼった。象設計集団は建築家の立場から見ているのだけれど、わたしは民俗学、宗教学、象徴論などのほうから見て、どういう象徴構造を切り出すことができるかを考えた。そして、提示したものを、どういうふうに空間に落とし込んでいくことができるかを、いとこたちがやっていった。

かなり集中的に取り組んで、東工大の大学院生などにも関わってもらいながら、コンペ案をつくったのです。最終的には落ちて、象設計集団がコンペをかち取ったので、いまの名護市の市庁舎があるのだけれど、わたしたちの案もある部分はそれと似ていた。というのは、沖縄の風土とか、世界観などに見合った空間の在り方とはいったい何なのかを問うという点では共通の視点があったわけですよ。最終的にデザインにしていくかたちは違うのだけれど、基本的な発想や視点は似ていた。だったら、定評のある、安心できる象設計集団に任せようというのが、名護市の選考委員会による妥当な選択でした。わたしたちは、それを上回るほどの起爆力を持ったアイデアとかたちを提示できなかった。

でも、そのときにわたしはいろいろ思ったのです。それは一つには、空間デザインというものが持つ可能性で、人をおもしろがらせ、楽しませるとか、快適にさせる力がある。つまり、空間的想像力を刺激する。それから、もう一つは、建築というものが持っている暴力性です。

ハナムラ　暴力性？

鎌田　空間を支配する、その力は恐ろしいくらいのものではないですか。実際、沖縄には基地がある。その基地などが暴力的にそこを占拠して、軍事的な空間と防衛体制をつくり上げているわけですね。でも、たとえば、普天間基地のすぐ隣には、琉球八社の一つ、普天間宮がありますが、その聖域は素晴らしく美しい洞窟空間の御嶽《うたき》です。そんな御嶽と呼ばれる聖地がいっぱい含まれていて、そういう聖域がつぶされ、軍事基地の飛行場になったりしている。ある

斎場御嶽

御嶽のすぐ隣や、あるいはそれを含む一帯が高度経済成長期にリゾートホテルになった。

そうした中で、沖縄の血のかよった、風の通る、生きた空間感覚によって、地元の人たちの暮らしにフィットしていく空間デザインはどうやったらできるかを考えた。わたしはそこで、沖縄の御嶽などの聖地観を下敷きにしながら、コンセプトを出していったのです。それが不採択になって、その後はいとことのコラボはしていませんが。でも、そのとき以来、わたしは地域の聖地、沖縄なら御嶽みたいなものを掘り下げて考えていかなければいけないと思った。いずれ時期がきたら、そういうコラボレーションをやりたい。

ハナムラ　ぜひ、どこかでやりましょう。

鎌　田　第二ラウンドがあれば、われわれが採択されるような案を提示したいという気持ちもあって、それで沖縄に行くようになったのです。そして、沖縄の御嶽巡りをするようになったことが、わたしの沖縄との出会いなのです。一九八九年頃、最初に宮古島と大神島に行った。これがわたしの沖縄観の基層をつくった。『忘れられた日本――沖縄文化論』（中公文庫、一九六四年）の岡本太郎ならば、「何も無いことの眩暈《めまい》」と言ったでしょうが、わたしはそこに宇宙の孔《あな》を感じた。無限宇宙につながり、そこに参入していく次元孔、それが御嶽だと思った。そんな宇宙孔が沖縄にはいっぱいある。普天間宮の洞窟の御嶽もその典型をなす聖地です。

## 見いだされる都市

ハナムラ　さきほど一九七〇年ぐらいとおっしゃいましたね。六〇年代、ポストモダンの始まったときから、その流れとばっちり合っているのですね。インビジブルアーキテクチャの話も出ました。そうした建築に関して、日本における当時の中心的な論者は磯崎新でした。彼は一九六七年に書いた「見えない都市」という論考をもとに、八五年に『いま、見えない都市』（大和書房、一九八五年）という本を出版しています。

それまでは「都市は見えるものだ」と丹下健三などは言っていました。都市というのは実体的に建築によってつくっていくことができるのだということで、東京オリンピックの会場、広島の平和記念公園など、建築によって都市をつくっていった。

それが七〇年代に入って、磯崎新が「いや、都市というのはもう見えなくなってきたんだ。都市というのは情報になったんだ」と言った時代があるのです。

たとえば高速道路を車で運転しているとき、都市の姿はまったく見えなくて、ぼくらが認識するのはサインだけなのです。いまどこにいて、これからどこに進むのかは標識のサインになってしまい、都市を実体として感じていないという状況が出てきた。

鎌田　迷宮ですね。
ハナムラ　本当に迷宮になっていくのです。だから、見えていた都市が見えなくなったというのが七〇年代に始まった「見えない都市論」なのです。
鎌田　魔界ですね。
ハナムラ　ええ、魔界化していきます。自分が把握しているのは情報でしかない。実体ではないので、感覚ではなくて、情報でしか捉えられないという時代になってきた。
それが九〇年代に入ると、槇文彦《まきふみひこ》という建築家が、「いや、都市は見えないんじゃなくて、見え隠れするんだ」ということを言い出したのです。見えたり、見えなかったりするのだと。彼は東京を例に挙げて、都市が重層構造であることを論として展開し始めます。つまり都市はタマネギの皮みたいな構造になっていて、むいていけばどこまでも奥があるという「奥の思想」のようなことを言い出したわけです。
二〇〇〇年代に大学を卒業した当時、ぼくはその三つを踏まえた上で、いまや「都市とは見いだされるもの」になったと結論づけました。つまり、人それぞれが持っている視点によって、都市の見え方はすべて違うはずだというのが、「見いだされる都市」という考え方です。
ちょっと時代を戻して一九六〇年代以降の話をすると、さきほどおっしゃったように、建築はそれまではものすごく暴力的なものだったと思うのです。たとえば、いままでコミュニケーションの空間だった井戸端とか道の辻広場といったところがどんどんつぶされて、新しい空間が生まれていく。いままで見たことがないような高さのビルがどんどん建っていく。それまで培われてきた場所の意味が失われていく。恐ろしいですよね。

それまでは当たり前のように家の前の道路は自分の場所として掃除していたし、鉢植えなども置いていたのが、ある日突然、国土交通省がやってきて、「ここはあなたの土地じゃありません」と言う。管理をしなくていいと、その代わりモノを置くことも禁止される。公共空間と私的な空間とがバチっと分けられてしまった。そうやって町の中から曖昧なスペースや寄る辺となる居場所がどんどんなくなっていく。

鎌　田　本当に暴力的ですよね。

ハナムラ　そうなんです、暴力的になっていくのです。そのことに対する批判が一九六〇年代以降に生まれました。つまり、都市と建築は、人々の町における生活にあった豊かな意味を、ある意味で、奪ってきたのではないか。要するに、機能的な面を充足させるあまり、われわれが感じている意味とか想いなどを奪ってきたことへの反省が、六〇年代以降のポストモダンの時代に湧き起こるのです。

## 設計者のいない建築

ハナムラ　そうした意味を剝奪するような都市計画や建築設計から逃れるための糸口の一つとして、フィールドワークが注目され始めます。つまり、民俗学、人類学、考古学などに蓄積されたフィールドワークという手法が、建築の中に持ち込まれ始めるのです。その背景には、近代の設計の工学的な原理だったり、計画の原理、プランニングの原理は豊かな都市空間へと結びつかないという反省がありました。自然発生的に生まれてきた前近代的な都市のほうに豊かな空間があるのではないか、そこに学ぶべきではないか。たとえば、中近東のイスラームの都市。あれはだいたいモスクという宗教施設と、スークという市場を中心につくられていて、それこそ迷路みたいに都市が入り組んでいます。でもあの一見カオスに見える都市のほうに、生活に即した豊かな風景が展開されている。日本の宿場町とか集落などもそうですが、それまで近代化の中で「古臭いもの」として否定されてきた伝統的な集住地ですよね。七〇年代以降は、そういう空間の中にじつはヒントがあるのではないかということを考え始め

イスラームの都市

た時期なのです。

鎌　田　そのへん、わたしも何人もの建築家や建築史家の論文や本を読みましたよ。たとえば、神代《こうじろ》雄一郎さんという人が、日本の漁村のフィールドワーク的研究をしていました。神代さんによると、日本の漁村の構造というのは道に沿ってできているというのですね。広場などではないのだと。あるいは、川のある流域では川に沿ってできている。

ハナムラ　そうなのです。すごくリニアなんですよ。求心的に中央に向かっていく構造ではないのですね。そういうことの先駆けとして、最初にフィールドワークに目をつけた一人が、バーナード・ルドフスキーという人です。この人が『建築家なしの建築』（邦訳は、鹿島出版会、一九七六年）というおもしろい図録を出しています。

「建築家がつくった建築」ではない建築。つまり、集落の中で勝手にできてきた建築に光を当てて、アフリカのバオバブをくり抜いた家や、ドゴン族の断崖住居の集落を調べたり……。

鎌　田　まさに人類学と建築学と民俗学とが結びついている。

ハナムラ　そうなのです。そういうフィールドワークの手法が流行した時代だった。だから、おそらく鎌田先生のいとこの方は、そういう話にすごく刺激を受けて……。

鎌　田　影響を受けている。だから、わたしがやっていることに関心を持った。

ハナムラ　そうなのですね。つまり、いままでのモダンの建築のつくり方は生活の意味を全部そぎ落としてきた。そして単純化した機能にすべてを集約させてきたことが、ものすごく貧困な都市空間を生んだ。そんな生活の意味と空間の機能とが分離した状態を前にして、前近代的な空間のあり方にヒントがあるのではないかと期待されたのです。そこには宗教ももちろん含まれていて、宗教も文化も混然一体とした在り方に豊かな意味を感じとっていた。

だから、人類学あるいは宗教学が持っているようなフィールドワークの手法に、建築家から熱いまなざしが注がれました。日本でも東京大学の原広司教授は、七〇年代にアルジェリアのガルダイヤなどをはじめ世界中の集落を調査して、そこに複雑なボキャブラリーや設計原理があるのではないか、近代の建築教育では培われなかったような設計の原理が潜んでいるのではないかと考えました。

鎌　田　原広司の有孔体の建築でしょう。

ハナムラ　そうです。建築にポーラス（有孔体）の概念を持ち込みました。ただ、彼のフィールドワークは素晴らしかったのですが、それを設計の原理に持ち込んだ瞬間に違うものになった部分もあるのではないかと思います。京都駅や梅田スカイビルなどの設計も、複雑で集落っぽいカタチは踏襲されています。しかしその空間が、場所の使い方や生活行動の必然性から自然と立ち上がってきたのかどうかは不明です。

鎌　田　わたしは嫌いじゃないけどね。

ハナムラ　建築の様式や空間の多様性の表現としてはおもしろいと思うのです。しかし、本当の集落にはその空間が発生した原理が先にあるはずなのです。その原理そのものではなく、原理の結果として生まれた空間の複雑性だけを借りてきても、そこにリアルな場所が生まれてくるのかどうかはわかりません。

だから、ぼく自身は、その自発的に生まれた空間の裏側にある原理が何なのかということを知りたいのです。ぼくはルドフスキーや原広司がやったようなフィールドワークに非常にインスパイアされていて、それの聖地版が二十一世紀の現在において必要になってくるのではないかと思っています。

鎌田　なるほど。わたしは当時、いとこから教えられて、槇文彦の「奥の空間」思想についての論文を読みました。いま名の出た磯崎新、槇文彦、原広司というのは、新しい建築デザインを構想している人たちの周辺でしょっちゅう出てくる名前でした。その先生に当たるのが丹下健三です。わたしは丹下健三が大嫌いだとあちこちで言いふらしている。彼の設計の中でも最悪なのが東京都庁だと思っています。

ハナムラ　ああ、新宿の都庁ですね。フジテレビも丹下健三の設計ですね。

鎌田　わたしはあの都庁ができてから東京が駄目になったと思っている。つまり、都庁は東京の風水を殺したと思っているのです。都庁という都民のためのスペースはあんな監視塔のようなものであってはいけない。

ハナムラ　そうですね、本当にパノプティコン（一望監視装置）のようですね。

鎌田　わたしは一九九〇年、ソ連時代末期のモスクワに行ったことがありますが、モスクワにはいくつかの塔がそびえ立っているのです。それが、まさに監視の目みたいに見えるわけ。世間を支配するために、コントロールするために睥睨《へいげい》する、まなざしの権力と暴力の象徴。すごく恐ろしい監視塔。

ハナムラ　わかります。

鎌　田　都庁のあのタワーは監視塔で、人民を監視する二つの目のようにわたしには見えたわけです。あの建築が、本当に都民が息苦しい、生きいきと生きられない世界を象徴している。あれこそわたしは暴力だと思いました。あの建築を見て、東京は傾いていくだろうと思った。

だって、東京の地脈というか、土地の持っている生命、まさにガイアのようなものを、あれ自身がふさいでいるのだから。それで、バビロンのようになって東京は滅びていく。わたしの中では建築が滅びを予兆しているように見えたわけです。そうであっても、もちろん人間は、オルタナティブな違う生命力を発揮して生きていくのだけどね。

# 第3章

# メタノイア

†自分のあり方を転換《メタ》する

## 近代の合理性を問うたアングラ劇

鎌田　一九六〇年代の話に戻すと、「invisible architecture」の時代に、あらゆるジャンルで invisible なものを見ようとする動きがありました。その一つは演劇で、天井桟敷という寺山修司の演劇実験があった。寺山の天井桟敷と唐十郎の状況劇場がアングラ劇の代表でした。天井桟敷という名前をなぜつけたかはわからないけれど。「天井」と「アングラ（アンダーグラウンド）」は逆じゃないですか。

ハナムラ　上と下ですからね。

鎌田　天井桟敷というのは、上のほうから鳥瞰的にものを見るまなざしで、ちょっと異化があるのです。現場から距離がある。実際には、彼がやっている演劇は、土方巽《ひじかたたつみ》の暗黒舞踏も含めて「アングラ」と言われていた。

では、アングラが問いかけたものは何かというと、モダンの仕組み、システムはおかしいということです。われわれの全感覚とか、全身体、全身心を解放していない。アングラとはそれを一回、解体して、そこから解放していくという解放の運動だった。で、まず地下を解放しようとした。自分たちの無意識、夢、幻想、妄想、身体性、そうした理性によって封印されてい

状況劇場と横尾忠則による『腰巻お仙』のポスター

たものを、パンドラの箱を開けるように全開してみようと。

近代劇場は、プロセニアム・アーチ、つまり観客席と分離・分割された舞台空間であるステージの上にあったわけです。つまり、劇場の幕を一回開いたところに異世界としてあるような演劇だった。寺山修司はその劇場空間を壊し、攪乱し、拡張した。市街劇、まさにフィールドワークみたいな演劇を生みだしたのです。演劇がどこで起こっているかわからない。全貌は見えない。みんな、どこかで、当事者の一部として投げ込まれている。状況劇場の場合はテントで、仮設移動のサーカスのようなかたちでやっていて、演劇の流動というものをうまく異化的につくり上げた。

わたしは何度も見に行きました。『腰巻お仙』だったか、麿赤兒《まろあかじ》が主演男優の一人で、妖怪みたいな魔人の役をやっていた。新宿の花園神社でやるんだよね。そこは新宿のゴールデン街も近くて、街のど真ん中。

状況劇場のラストシーンはいつも決まっていて、テントだから開けることができる。舞台の奥をバッと開けたら、新宿のビル街がバーンと背景に見える。新宿の街がブワッと向こうに広がっていく、あの解放感、異化効果。あれは見事なパノラマ的展開で、そこへ向かって主人公が駆け去り、消えて行くといったラストの構成です。

寺山修司が、演劇を街の中に解放して、「書を捨てよ、町へ出よう」とやったことが、建築においても問いかけられていた。暴力的にわれわれを支配し、閉じ込めていく「見える建築」に対して、もっと一人一人の生活とか生存そのものを開いていくような建築の可能性はあるのかという問いです。寺山や唐十郎は近代演劇の仕組みを壊しながら、そこにあるもっと豊饒なカオスを解放することによって見えてくるものとはいったい何かという問いかけをしていた。それは、一九六〇年代から七〇年代にかけていちばん大きな問いかけだったと思うのです。全共闘運動も基本的にはそれと連動している。

ハナムラ　そうですね。

鎌　田　つまり、近代の仕組み、システムとはいったい何かという問いかけです。その答えはまだ出ていないと思う。ポストモダンもそれを探ろうとした動きだったけれど、まだ答えは出ていないとわたしは思っています。そしてわたしの聖地研究もそこにつながっていくのです。

## 人間は主体的にしゃべるわけではない

ハナムラ　おもしろくなってきました。演劇論はまたあらためて話してみたいと思いますが、いまの鎌田先生のお話は近代をどう捉えるかという話に集約されると思うのです。ぼくは大阪大学のコミュニケーションデザインセンターで教員をしていたときに、同僚に平田オリザさんがいたのです。鷲田清一先生、平田オリザさん、この二人に出会ったのは、ぼくが大阪大学に勤めた五年間の中でとても大きなことでした。ぼくは二人とそれぞれいっしょに別の授業をやっていた。

鎌　田　鷲田清一さんと平田オリザさん。まことに、コンテンポラリーですねえ。

ハナムラ　ぼくは鷲田さんといっしょに授業をやり、また別に平田さんとともにやっていました。平田オリザさんの演劇論からもとても影響を受けたのを覚えています。

　彼はおもしろいことを言っていました。近代演劇はいかに成立したのかという話からアングラ演劇という文脈へ、そしてその先として、彼の演劇がどう位置づくのかを考える際に、彼がいつも使う説明の仕方があります。日本の古来からの能や歌舞伎は、その演目やの戯曲の中で、ある種、型の反復をする前提で描きます。そうした戯曲の描き方に対して、近代演劇、新劇というのは、もっと心理学をはじめとして、理性といったところをベースに戯曲を書き、人間はこういう理由でしゃべるのだという動機や意識をもとにセリフを構築していった。

それに対してアンチを唱えたのがアングラ演劇でした。アングラ演劇で立てられたテーゼというのは、「人間は理性的にしゃべるわけではない」ということだと。つまり、意識に対して無意識を前に出してくるようなセリフのつくり方ですね。だから、アングラ演劇ではわけのわからないことをワァーと大声でしゃべったりする、という話でした。

ぼくは建築も同じではないかと思っていて、意識的に計画してつくっていく建築に対して、「建築家による建築」ではないもの、つまり生活の中から勝手に生まれてきたような建築というのは、無意識がつくっていると。つまり、意識と無意識とについての評価の反転が六〇年代ぐらいに起こったのだろうと捉えられるわけです。

オリザさんはさらにおもしろいことを言っていました。それを踏まえた上で、自分が立てているテーゼは無意識ではないと。アングラ演劇は「人間は理性的にしゃべるわけではない」というテーゼを立てたが、自分がやっている現代口語演劇は、「人間は主体的にしゃべるわけではない」というテーゼであると。

つまり、セリフというのは自発的にしゃべるものではない、周囲の状況がしゃべらせるのだと。たとえばいっしょに庭を見ていて、「鳥が飛んできましたね」と言うのは、鳥が飛んできたという状況があるから、それにしゃべらされている。

鎌　田　場の理論だね。

ハナムラ　まさに場の理論です。じつは場のほうが人間をしゃべらせている。これは心理学でいうと、アフォーダンス（affordance, ジェームズ・J・ギブソンの造語で環境が動物に与える意味のこと）の話に非常に近いと思っています。人間というのは自分でそこにいるわけではなく、いろいろなものに条件づけられて、その中で現象として現れている。だからセリフも現象として現れているというのは、ぼくも意識するところです。

鎌　田　その基本は生態学だよね。演劇生態学。

ハナムラ　そうなのです。現代口語演劇というジャンルを平田オリザは打ち立てたと言われますが、九〇年代以降の口語演劇の在り方も、そういう意味でいうと生態学的です。アングラ演劇に対しての現代口語演劇、これは、日常会話で使われている言葉だけで演劇をつくります。だから彼の演劇を見ていると、家の居間をのぞき見しているような感じに近くなる。

鎌　田　状況そのものなんだね。

ハナムラ　状況がその人の行為や発言をつくるんですね。冒頭の会話ではないですけど、ぼくらは自分というものがいて、それが主体的に何かアクションを起こしていると思っている。無意識に光をあてたアングラでも、まだその構造に絡め取られているのです。

鎌　田　じつは裏がある、場がある、状況がある。

ハナムラ　その主体性にアンチだということなのです。新劇もアングラも両方とも自分がいて、その自分が見えているところと見えていないところと言っていたのですが、二十一世紀のいま立てられるテーゼはそうではなく、「自分はいるのか」ということが問われているのだと思います。自分なんていろいろなものに条件づけられて生まれくるものではないかという問いだと思うのです。それはすごく生態学的な話で、最初に話したぼくの演技論に近い捉え方だと思うのです。このあたりが、いまのところぼくに見えている一つの方向性かもしれません。

## 傍観者ではいられない状況をつくる

ハナムラ　さきほどの寺山修司の話がおもしろいので、ちょっと違う角度から話をします。寺山が一九七五年に制作する、阿佐ヶ谷という街を劇場にした『ノック』という市街劇の作品がありますす。阿佐ヶ谷の街を舞台に、三十時間何かが起こっているという、本当の状況演劇ですね。ご存じですか。

鎌田　いや、見ていないです。

ハナムラ　ぼくももちろん見ていませんが、じつはぼくも同じような集団市街劇の作品をつくったことがあり、後から寺山が同じようなことをしていたことを知りました。その寺山の状況

ハナムラチカヒロ『エクソダス』（アイマスクをつけて電車内で眠る）

演劇では同時にさまざまなことが街で起こっているのですが、たとえばその中の一つに『犬頭の男』という作品があります。街のタバコ屋さんやパン屋さん、時計屋さんなどに毎日、ハガキが届く書簡演劇です。そこに書かれているのは、数日後あなたのお宅に、シルクハットに口髭の男が訪ねてきて、たばこの火を貸してくださいと頼むという内容です。怪しいものではなく、長居して迷惑をかけることもしないので、できればマッチの火を貸してほしいという不気味なことが書かれています。そして予告された日に、予告どおりの男が本当に現れて、たばこの火を貸してくれと言うのです。

要するに、自分の生活空間において、ある期間に本当のことなのか空想なのかよくわからないような状況があちこちで起こるという作品です。そうした状況が街の日常に対して裂け目を入れていく。ぼくも似たような狙いで『エクソダス』と名づけた作品をつくったことがあります。二十人とか三十人ぐらいで街に出て行き、一列で歩いてみたり、何もないところをみんなで写真撮影したり、一つの車両内で参加者全員がアイマスクをつけて眠ってみたりしながら、街で当たり前になっているルールの外側を描くという作品です。

なぜこんなことをするのかというと、劇場という装置を壊したいからです。劇場というのは、観客は観客席に座って、舞台で起こっていることから切り離されているんですね。だから観客席に座っている以上は安全なのです。何も脅かされないわけです。終わって幕が引かれれば、また劇場を出て日常に帰っていく。

鎌　田　傍観者でいられる。

ハナムラ　そうです。「まなざしのデザイン」というフレームにおいて、ぼくは観客が傍観者ではいられない状況をどうやってつくるのかということにすごく関心がある。というのは、そういう異常な状況というか、自分が想定していることの外側で何かが起こったとき、自分の日常の在り方を人間はもう一度問い直すと思うのです。そのとき、人間がさらに深い意味を獲得する瞬間が生まれる。そういうものを考えていきたいので、寺山のやっている状況演劇の在り方に非常に共感するところがある。不気味なものであったり、見知らぬもの、気持ちの悪いもの、グロテスクなものなのだけど、でも、どこか魅力的であるという感覚。それは鎌田先生が書かれていたヌミノーゼ感覚（聖なるものと出会ったときに生まれる相反感情）と非常に近いのかもしれません。

鎌　田　畏怖と魅惑ね。

ハナムラ　畏怖と魅惑ですね。ぼくは聖地もそういった場所なのではないかと思っています。聖地って決して安全な場所ではないと思うのです。ああいうところって、どこかで気を抜くと自分の中から何かが持っていかれると思うのです。

鎌　田　確かに、安全であると同時に危険であるという両方の要素を持っている。

ハナムラ　そうなのです。そのアンビバレントな感じが自分をもう一段階レベルアップさせてくれる場所なのではないか。そういう感覚も確かめてみたいところではあります。

## 命がけで突っ立った死体

鎌　田　演劇の話をもう少しすると、ほぼ同じ時代か、それに先行するかの頃の動きとして、暗黒舞踏が出てくるのです。わたしは暗黒舞踏をやっている人たちと接点があったので、土方巽の暗黒舞踏を一九七〇、七一年頃、新宿によく見に行ったのです。コマ劇場の前のビルの一角で、土方のまな弟子の芦川羊子とか小林嵯峨が、毎夜白塗りで暗黒舞踏をやっているわけ。

そういう騒然とした状況の中で、暗黒舞踏が問いかけてきたものとは何か。よく知られている土方のテーゼは、「舞踏とは命がけで突っ立った死体である」というものです。矛盾した不思議な言い方だよね。まさに非理性的な言い方で、死体が命がけで突っ立つことはできない。不可能ですね。命がけで生きることはできるけれど、死体が命がけでというのはありえない。でも、そのある種、屈折し矛盾した問いかけを通して、いままで身体というものをわれわれがどういうふうな見方で切り取ってきたかが見えてくる。

近代の身体、演劇の身体、ダンスの身体、あるいはクラシックバレーの身体、そういう通常の生存スケールで切り分けてきた身体ではない、異層や異界を孕む生《なま》な深層身体性。あの時代、唐十郎は土方の影響を受けながら、「肉体の叛乱」ということを言ったのだけど、ある種のカオスの中に投げ込まれた肉体の、身体のポテンシャルを、どうそこに現前させることができるかが課題だったと思うのです。土方巽は、そこで言葉で誘導し、攪乱していくわけです。おまえはウマだとか、おまえは奴隷であるとか、次から次へと様相を与えて、身体位相を壊していき、変化・変容させる。まさにシュールレアリスムのように、身体をつくっては壊しながら、揺るがせていくのです。

主体をなくして、何にでもなることはできるけれども、何ものでもない。そういう身体や役、仮象の存在性。そういうものの流動の中におまえの身体はいつもあるのだ。それを忘れるな。だから、生きていると信じては駄目だぞと。

ハナムラ　めちゃくちゃ共感しますね。

鎌　田　そういうことを問いかけながら、ではそこで踊りが生まれてくるというのはどういうことなのか、そういうある種、根源的な身体論をやっていたと思うのです。演劇とは何かという本質に向けて、あるいは踊るということは何か、立つとか歩くとはどういうことかなど、そういった根源の問いを、あの時代の先端芸術家たちはやっていた。その問いかけはまだ問い終えていない。

土方巽「赤ドレス」

ハナムラ　終えていないですね。

鎌　田　答えももちろんですが、その問いかけをまだ完全に成就できていないと思うのです。

ハナムラ　おっしゃるとおりで、問いかけそのものが社会に飼い馴らされて回収されちゃったのです。

鎌　田　中途半端なモダンがまだ残っている。われわれはポストモダンなどと言いながら、大きなモダンの中にまだいるなと思います。
ハナムラ　産業社会というのはそういう装置なのだと思うのです。いまぼくらが生きている産業社会は、そういう意味で言うと、まだモダンの延長です。ポストモダンという一時の反乱はあったのかもしれませんが、それも結局はモダンに回収されてしまう。さっきの唐さんとか土方さんの問いというのはまったく非合理的というか、非論理的なことをぶつけてくる。それはシュールレアリスムのデペイズマン（あるものを本来ある文脈から切り離して別の文脈へ移すこと）の手法であったり、禅の問いかける矛盾に非常に近い。
鎌　田　禅問答に近いね。「隻手《せきしゅ》の音声《おんじょう》」、片手でどうやったら音が鳴るのかとかね。
ハナムラ　正・反・合じゃないですけど、ある事柄の反対側の概念を、次の時代にグッと前面に出すことによって、次の次元に昇華させる、アウフヘーベン（矛盾や対立を包括しながら高い段階で統一すること。止揚）のためのエネルギーをつくっているのではないかと思うのです。
最初の話に戻るのですけど、自分の肉体を本当に自分が所有しているのかという問いがぼくの中にはあります。日常でも演劇でもぼくらはまことしやかに、腕を動かすとか、立つとか、歩くとかいうことを、自分の意志で肉体を所有してやっているつもりでいるが、それは本当なのかという問いが突きつけられているように思えます。脳科学の領域でも、ぼくらの意識とは傍観しているだけの受動的なものであるという仮説も言われ始めています。意志で決定したと思っているが、無意識が決定したものを意識は単に後追いで確認しているだけであるという。

では、ぼくらの主体性はいったいどこにあるのかとなったときに、そんなものは本当はないんじゃないか。環境とか、もっといろいろなものに条件づけられていて、ぼくらは勝手に自分で選択したと思い込んでいるだけだ。さきほどから話している表現活動は、そうした問いを突きつけているのではなかったのかということを、この話をしながらあらためて確認しました。

## 感覚を開放して自分を改める

鎌　田　それに対してもう一つ宗教的な問いかけをしたいのです。さきほどのデザインがサインの転換のようなものであると仮にした場合、宗教もまさにそういう意味での「デ・サイン」なのです。

どういうことかと言うと、この前、「世阿弥とスタニスラフスキー」という国際シンポジウム（二〇一六年十二月十八日、身心変容技法研究会主催）をやりました。スタニスラフスキーは近代演劇にもっとも大きな影響を与えたロシア・ソ連の演出家で、スタニスラフスキー・システムと呼ばれる演技理論と修練法をつくり上げました。そのシンポジウムで、ロシアのウラジオストック極東国立技術大学の文化人類学部長のセルゲイ・ヤーチンさんが、キリスト教神秘主義においてもっとも重要な概念であり、行為、思想であるのは「メタノイア」であると言ったわけです。

ハナムラ　メタノイア？

鎌　田　メタノイアというのは、普通、キリスト教の文脈では、「神の国がやってくる。だから、悔い改めよ」と説かれる、その「悔い改め」なのです。悔い改めというのは、非常に倫理的、道徳的、信仰的に理解されています。自分が悪いことをした。いままで負っていたその罪を、みんなに告白するなりして反省し、自分を浄化していく。そういう人の生き方の道徳性に関わってくる反省作用です。確かにそういうふうにも言えるのだけど、でも、もともとの原意というか、いちばん重要な意味は、視点を変えるということなのだとヤーチンさんは指摘した。「メタノイアとは、「ノイア」つまり知性や視点を意味する「ヌース」を「メタ」する（対象を超えてさらに高いレベルに達する）ということだと。「ノイア」というのは一つの見方なのだと。さきほどの「デ・サイン」にもちょっと似ている。メタノイアはいままでの自分の在り方や見方、生き方をメタする、つまりチェックしたりスキャンしたりして転換するということなのです。だから、結果的に悔い改めになります。

ハナムラ　なるほど。

鎌　田　いままでの自分の在り方や生き方が駄目だったということの確認が悔い改めなのだけれど、それが悔い改め（回心）になるためには、まさに視点の転換が必要なのです。

ハナムラ　まなざしのデザインですね。

鎌　田　そう。それをわたしは一九八〇年に高橋巌《いわお》さんから教わったのです。
ハナムラ　シュタイナー研究の高橋巌さんですか？
鎌　田　そうです。美学者であり、シュタイナー研究者の。わたしの中では、もっとも重要な彼の教えの一つが「メタノイア論」で、彼はこう言ったのです。「メタノイア、悔い改めるということは、道徳的な振舞いではなく、感覚を全開するということなのですよ」と。
シュタイナーは、『いかにして超感覚的世界の認識を獲得するか』（邦訳は、ちくま学芸文庫、二〇〇一年）という本を書いていますが、まさにわたしが「身心変容技法」の研究をやっているのは、人間の感覚、ステレオタイプ化された感覚ではない超感覚は、どうやって人間にもたらされるのかということを知りたいからです。
主体だと思っている人間のアクションや人間の心の在り方は、もっと違う力動で組み替えることが可能だ。それは神秘主義に一つの可能性がある。そういうことを惹き起こす場所が聖地だと思っているのです。
ハナムラ　ぼくの考えるまなざしのデザインと場所のチカラが、だんだん近づいてきました。
鎌　田　感覚の全開がメタノイアとしてあるというのは、高橋巌さんの美学者という観点からの問いかけだったのです。そのときに観音さまの話もついでに出た。
ハナムラ　観音の話が？
鎌　田　観世音菩薩。観音さまとは何者ぞと。観音さまとは三十三身に化身して、あらゆる人たちの苦悩に耳を傾けて、千手千眼観音、手を差し伸べて救う。わたしの言葉で言えば、究極のボランティアなのだけど、その究極のボランティアは千手千眼がないとできないのですね。千手千眼があるということは、感覚の拡張であり開放です。

ハナムラ　なるほど、なるほど。手や眼の数の多さは感覚の多さを表すのですね。

鎌　田　ものの見方、アクションが千手千眼できるということですからね。千変万化というか、本当に変化することができるわけ。『法華経』に「妙法蓮華経　観世音菩薩普門品《ふもんほん》第二十五」という名称で観音さまが出てくるのです。「念彼観音力《ねんぴかんのんりき》」の章です。「観世音」は音を観る。「普門品」とはあらゆる門をすべて開くということだと高橋さんは言いました。つまり、われわれの感覚が一つ一つの門だとすると、やおよろずの門、八百万の感覚の機能がある。それを全部開放していったらどうかということだと。だから、キリスト教で言うメタノイアの回心と、観音さまのはたらきとが、そこではイコールになる。

そして、観音さまのはたらきは、その感覚の開放がないと自在に組み替えられないのです。困っている人は、苦しんでいる子どもである場合もあれば、女性であることもあれば、年寄りであったり、いろいろなことがあるわけだから。それを千の眼で見て、千の手で変化させ、変身・変容しながら向き合うことができなければいけない。

そういう観音さまの姿は、まさに感覚の全開から始まるメタノイアを具体的に生きている存在なのだと。そういう高橋さんの説明に、わたしは非常に影響を受けたのです。

つまり、これこそわれわれが必要とするもので、生き方の道徳ではなく、道徳以前にある人間の身心をどう日常において自分の生き方の中に据えていくことができるのか。それがいまやっている身心変容技法の研究につながっているのですよ。

## 富士山と虹がわたしの主治医

ハナムラ　おもしろいな。その感覚の開放をするためにどういう手法、アプローチがあり得るのかという話なのですけれども、ぼくは風景異化論の中で、主体と客体とを分けて、そのデザイン手法を考えています。主体が修行とか儀礼などによって感覚を開放していくという方法と、客体側に刺激を与えることで間接的に主体の感覚が開放されるという二つのアプローチがあるように考えています。聖地では場所という客体側からのはたらきかけがあります。仏教ではどちらかと言うと、修行によって開放していく、それも主体側から行うと考えています。

鎌　田　そうですね。お釈迦さまは瞑想から始まるけれど。

ハナムラ　しかもあれは感覚を開放するのとは真逆の方法ですね。感覚を遮断し観察することによって、悟りに到達しようとする。

鎌　田　そうそう。感覚遮断ですね。

ハナムラ　一方で、密教とか、ヒンドゥー教、シェーカー教、グノーシス派などもそうだと思いますけれども、感覚を一気に開放することで酩酊してトランスに入り、感覚をさらに拡張する。この二つのアプローチがあるように思います。

鎌　田　両方ありますね。

ハナムラ　安全なのはどっちなのかという意味では、仏陀が示した方法はある種、安全にみんながてきる方法ではないかと。

鎌　田　中道だからね。

ハナムラ　だから仏教は誰でもできるようにと考えて、メソッド化した科学という側面があると思っています。

鎌　田　まさにそういう面があるでしょうね。

ハナムラ　ぼくが病院の吹き抜け空間でつくった作品『霧はれて光きたる春』（九七頁、コラム参照）はここでいう仏教とは逆のアプローチをとっています。つまり、シャボン玉とか霧などを使って環境側にいきなり奇跡的な風景とか、自分たちの常識の範囲の外側のものがやってくることによって想像力がぐっと広がる瞬間をつくる。自発的に自ら感覚を開きにいく修行や踊りなどではなくて、外からスイッチが入れられてしまうという状況を伴う。そういう客体にアプローチする環境デザインができる可能性があるなと考えています。

もう一方で、身心変容技法研究会で探求されているように、自分の感覚を変える、つまり人

ハナムラチカヒロ『霧はれて光きたる春』

間側へアプローチする方法は、よりダイレクトな方法だと思っています。つまりぼくの整理では、人間にダイレクトにアプローチするのか、それとも人間が集う場所側へアプローチする環境デザインを通じて間接的にまなざしへアプローチするのか。この二つのデザインのアプローチがあると思います。その方法にも、物理的な方法と心理的な方法とがあると思うのです。そのへんの手法のバリエーションを整理して、研究や実践の理論にしています。

鎌田　わたしは自分の中では、その両方ともに重要なものとして実践してきたという思いがあります。それも自分のライフヒストリーにおいてはアクセントに浮き沈みがあります。わたしは最初、自分の変容を見たのは修行型においてでした。もともとそういう傾向があるので。

ハナムラ　鎌田先生はストイックなのですね（笑）。

鎌田　アスリートまではいかないけれど、この前も六十六歳の誕生日にバク転しましたよ。リスキーな状態に追い込むと、自分の身心に不安などが起こるじゃないですか。「もし失敗したら死ぬかもしれない、やばいよ」みたいな感覚。でも、そういう状態に追い込んで、そこで恐怖をすっと取り除いて、自分の瞬時の変化を惹き起こす。不安を引き剝《は》がす。もともと習性的にバク転やバク宙をしたくなるわけですが、でも、それは危険なのですね。いつまでもできるわけではない。その危険を感じたのは、多摩川園に住んでいたときに、等々力《とどろき》不動というのがあって、夜中の二時、三時に自転車でそこへ行き、毎夜のようにそこの滝に打たれていたのです。深夜の滝行なんていうものは当然ある種、感覚変容をもたらすわけです。

column

# 『霧はれて光きたる春』

ハナムラチカヒロ

『霧はれて光きたる春』は、ハナムラチカヒロが大規模急性期病院で手がけた空間インスタレーションである。入院病棟の中央にある高さ五十メートルを越す吹き抜け空間で、底から霧を立ち上げ、空からシャボン玉を降らせることで、空間の様相を一変させた。夕刻の三十分間に行われるが、その現象を見ようと各階の病棟から大勢の入院患者たちが窓辺にやってくる。また患者たちと同じように院内の看護師、医師、見舞いの家族、事務職員たちも窓辺にやってきて、全員が同じように空を見上げる状況を生み出した。普段はまなざしが向けられない裏側の空間に一時的に非日常な現象を起こすことで、日常的な院内での役割や立場、年齢や性別の違いを超えて互いにまなざしを交わし合うコミュニケーションを目指した。二〇一〇年に大阪市立大学医学部附属病院、二〇一二年に大阪赤十字病院、二〇一四年に大阪府立急性期総合医療センターで一週間程度にわたり実施した。病院での現代アート作品として世界的に前例がないような本作は、各種メディアに取り上げられ、話題を呼ぶとともに、二〇一二年日本空間デザイン大賞・日本経済新聞社賞を受賞している。

空から降るシャボン玉を見上げる入院中の子どもたち

ハナムラ　そりゃそうでしょうね。

鎌　田　あるとき、その滝に普段とは違う向きから入ったのですよ。いつもは後ろのほうから当たるのを、いきなり前のほうからガッと入って、ウッと滝を受けた。そのとき、いつもとは違うことが起こった。意識が飛んでしまって、何かがずれたのですね。そこで非常に奇妙な状態になった。通常わたしというのは、この身体全体の中にうまくバランスしているのです。わたしの心がわたしの身体性のどこにあるかはもちろんわからないけれども、わたしの身体とわたしの心というか、わたしという意識とが一つになっている感覚があるのです。ところがそのときは身体がロボットみたいで、ずれているのです。精神医学的には離人症。瞬時に離人症のようになったのです。ある種の幽体離脱とも言えるんだけど。中途半端な、つかず離れずの幽体離脱。急激な滝の水の衝撃で、クッと意識がずれて、心の置き所が変な状態になったわけです。そうなると、うまく自分をコントロールできない。生きているから動くことはできる。でも、離人的な動きなのですよ。違和感があるから、スムーズでもない。ものすごくぎくしゃくしている。それでまたそろそろと自転車に乗って、多摩川の巨人軍のグラウンドの横をロボットのように走ってうちへ帰った。

この気持ちの悪い状態をどうやったら元に戻せるか。悪戦苦闘して、静かに瞑想し、鎮魂するようなことをして。自分の意識の座を、身体の中腑かどこか、ともかく元に戻さなければいけない。本当に悪戦苦闘して、坐禅とか、自分が知っているありとあらゆる瞑想法を試してみたんだけれど、うまくいかない。埒《らち》が明かない。何をやっても離れたまま、元に戻らないのです。「どうしよう。生涯こんなふうに人格が分裂したような状態で生きていくのか」と思って、諦めたというか、力が尽きてしまって寝ちゃったのです。そして目が覚めたら、元に戻っていた。

ハナムラ　なるほど。

鎌　田　わたしはそのとき睡眠の力というのを初めて自覚することができました。眠るというのは意識を遮断すること。無心というのも象徴的に言えば、それに近いものがある。自分のその心を変化させようと意識下でいろいろやっても何もできなかったけれど、そういうものに力尽きて、ふっと気づかないうちに眠ってしまって、目が覚めたら元の状態にリセットされていた。パソコンでもあるじゃないですか。

ハナムラ　再起動ですね。

鎌　田　フリーズしてどうにも動かなくなって、強制終了して再起動したら復活する。それに近い状態です。

ハナムラ　睡眠というのは単なる休息じゃなくて、意識や感覚の調整のためにあるんじゃないかと言われていますね。

鎌　田　眠りが生命の生存にどれほど重要な力を持っているかということがわかった。そのとき、感覚を主体的に変化させる手法には限界があるという認識を得たことが一つの収穫でした。

その後、わたしは魔を体験するのだけど。

ハナムラ　魔境ですね。

鎌　田　魔境。それは本にも書きましたが（『呪殺・魔境論』集英社、二〇〇四年）、寝入りばなに脳内で光と音が炸裂して、一睡もできないような状態になったことがあります。本当に、四十日間一睡もできない状態で、気が狂いそうになった。そのとき、たまたま神職の資格を取るための講習会が開かれていて、ちょうど四十日目が春分の日で休みだったので、山梨県の身延山の近くにある七面山《しちめんさん》に一晩、夜通し登りました。

富士山の真西にある霊山で、そこから春分と秋分の日に富士山の真東から山頂に日が差し昇ってくるのが見えるのです。

ハナムラ　太陽を遥拝する場所なのですね。

鎌　田　山は二千メートルぐらい。正確には、千九百八十九メートル。富士山は三千七百七十六メートルでしょう。七面山はその真西にある山で、そこに敬慎院という日蓮宗の寺院があるのです。七面山の敬慎院は弁財天ともされる七面天女を祀《まつ》っていて、その麓に白糸の滝があり、そこで滝に打たれたのです。その日はちょうど三月二十日、わたしの四十四歳の誕生日で、七面山の山頂で、富士山から朝日が昇ってくるところを見たわけです。

少し雲がかかっていたので、クリアに朝日が昇ってくる瞬時は見えませんでしたが、その後、七面山の山頂に登っていったらすごい雪で、膝の上ぐらいまで雪に埋もれながら、汗だくになって登り、振り返って富士山を見ますと、富士山の山頂の右上のほうに太陽が昇っていた。そして、その太陽と富士山全部を取り巻く円周の虹がかかっていた。

ハナムラ　日輪ができていたのですね。

鎌　田　下まで、富士山を取り巻く大円周の輪になっていて、太陽が富士山の右上にある。そんな光景を見て、ええっ、こんなことがあるのかとしんそこ驚き、その不思議な神秘的な景色を目の当たりにしたときに、意識が飛んじゃった。忘我ですね。それまでわれを忘れることがないから、ずっと眠れなかった。われを放擲《ほうてき》しないと、われを忘れないと眠りには入れないのです。睡眠は意識が断滅することですからね。ところがずっと意識がある状態ですから、本当につらくてつらくて、脳がパンクしそうになって、いまにもはち切れそうになっている状態の中から、ふっとわれを忘れた瞬間があったとき、パンク寸前の風船に一針入って、ひゅうっと空気が抜けていく感覚があった。そのときに「助かった」という感覚にみまわれて、涙があふれ出てきた。以来、わたしは「富士山と虹がわたしの主治医」と言うようになったのです。まさにランドスケープが、わたしの意識の袋小路状態を救済し解放してくれたのです。

ハナムラ　いやあ、それはいい話だな。

鎌　田　七面山というのは聖地なんだけれど、そのときに人間の意識を自己改造的に、主体的に変えようとするような、いわゆる修行的な道を一回、わたしは断念したのです。修行的な道は非常な危険性を伴い、それによってどういう状態に陥るかわからないというリスクを負っている。じゃあ、何をするかというと、こういう聖地や霊場などの場所を経巡ることをした。それまでも十七歳ぐらいから、阿蘇山とか青島《あおしま》とか恐山とか四国遍路など巡礼していたのですが、瞑想、滝行、そういうことをすべてやめて、聖地巡礼に大きく切り替えた。それによって自分の身体を聖なる場の気流の中になじませていくことをやり始めた。

ハナムラ　ぼくがランドスケープデザインという範囲で目指すとすれば、まさにそれに近いことかもしれません。人を救済する風景というのはあると思うのですね。人を解放する風景とか、われを忘れさせる風景……。

病院でやった『霧はれて光きたる春』でも、大量のシャボン玉が空から降ってきて、下からは膨大な霧の塊が上がってきて、その異様かつ美しい風景をみんながハッとして見ている。そのときにひょっとしたら病気が治る方向にスイッチが入るんじゃないかなと、ぼくは思うことがある。いままで心の中に抱え込んで溜めていたことが、シュッと抜ける。だから、そうした奇跡的に美しい風景が人を救うのであれば、それは医療と呼ばれてもいいのかもしれないと。

日食とか月食とかオーロラのような自然現象は、人間がつくるものより明らかに力を持っているでしょう。しかし、そうした奇跡の似姿みたいなものを生み出すことに、「医療としての風景デザイン」の可能性があり得るのではないか。それが、ぼくの中での聖地のデザインにつながっていきます。

## 異化・同化・変身

鎌　田　わたしにとって聖地というか、聖なるものは、はっきり言って宗教です。そういうものなのですよ。こちらから主体的に何か動いて変えていくものではなくて、向こう側から何かを変えさせていく力があるのですね。

ハナムラ　日本の神道というのは、そうした向こう側からやってくる感覚に非常に近いと思っていますがどうでしょう？

鎌　田　極めて受動的です。

ハナムラ　受動的ですよね。大本教などもそうですけど、いきなり神示が下りてくるという感じです。仏教はもうちょっと理性的で、修行によって段階的に人間は進化していけるのだという話です。でも、神道はいきなりドンと下りてくる。啓示を受ける。

鎌　田　それも危ないところがあるので、両方が大事ですね。

ハナムラ　そうそう。両方ですね。

鎌　田　人間の知性の深いところで、その知性の安定さ、はたらきによって目覚めるというやり方と、そういうふうな人間のちまちました枠組みや欲望も含めて、理性のようなもので自分をがんじがらめに縛っているものを一挙に壊して、ぱっと解放するようなやり方と。

ハナムラ　そうですね。今日は、いきなり役者論から入りましたけれども、ずっと根底にあるのは〝わたし〟という感覚をどう捉えるのかという話です。修行によってわたしを手放していくという方向もあれば、外からいきなり強制的に何かをやっていく方法もある。わたしを忘れてしまうとか、置き去りにしてしまったりという感覚、あるいは眠ることによって一回わたしから離れるという方法……。

これらはすべて、わたしの異化効果だと思います。つまり、わたしと身体や意識は常に同化している状態にある。それは物体と意味が同化し、「これはテーブルである」とか、「これは椅子である」などということが当たり前になった状態と同じで、わたしは身体であるというふうに同化している状態ですね。その認識のおかげで、いちいち立ち止まらずに普段は行動することができるし、何かを効率的に処理するためには必要なのだけれど、その同化した状態が繰り返されると次第にその対象としている物がどういうものなのかという本質を忘れてしまうことになる。そこを一回引き離す行為が異化だと思っています。

異化を意味する別の言葉であるデペイズマンの語源は、「異郷の地に送る」という意味です。いったん離れた異郷の地から、もう一度見つめ直すことによって、自分を一段階引き上げるというか、すくい上げるというか。そうしたエスケープ感覚を生み出すことに、デザインという行為の中で取り組めないかというのが、これまでぼくが考えてきたことです。これはデザイン領域の方々からすると、意味がわからないと思われるかもしれないのですけれど（笑）。でも、最初におっしゃっていた、「サイン」を「デ」することが、もともと記号化されたものの記号を剝奪するという示唆であるならば、そこに非常に深い意味がこめられているということをあらためて思いました。

鎌　田　「スポーツ」という言葉の語源にも、そういう、他の所に移送するというような意味があるそうですよ。

ハナムラ　そういう意味があってもおかしくなさそうですね。

鎌　田　奈良教育大学のスポーツ史やスポーツ人類学の教授であった稲垣正浩さんから聞いたのですが、スポーツというのは、さきほどのメタノイアもそうなのだけれど、人間の身体のある何かを移すとか、移動させるとか、感覚を変えるということがもともとの意味合いのようですね。その場合は身体を通して行う。一方、心の状態を移すのが仏教の瞑想じゃないですか。

ハナムラ　そうですね、はじめは感覚から見つめ始めますが、最終的には心の状態ですね。

鎌　田　身体の状態を変化させるのがスポーツだとすれば、スポーツはある種の訓練で、それによっていままでできなかったことをできるようにすることもスポーツですが、その核心を考えれば、それは転換させるための、一種の身体の修行なのですよ。スポーツも単なる競技ではない。大きく変容させていく、メタモルフォーゼ（変身）していく方法論なのですね。

ハナムラ　おもしろいですね。そのメタモルフォーゼの原理は同じかもしれません。身体をうつろな状態、空っぽな状態にしていないと下りてこない。能のシテなどもそうだと思うのですが……。最近、ぼくは合気道を始めたのです。ご縁あって凱風館《がいふうかん》という道場に通うことになりました。

鎌　田　へえ。本当に。

ハナムラ　まだ始めたばかりなのでよくわかっていませんが、よく教わるのは、相手と同化することですね。相手が取りにくるときの手と同じ手のかたちをこちらもつくるとか、相手と同化することで緊張を与えないとか、とにかく同化することを強調されているのが印象的です。

鎌　田　まさに能の物まねだね。

ハナムラ　素人目線ですが、合気道の身体の構え方や動きなども、能に似ているように思います。不思議なのは何かをしてやろう、投げてやろうと思ってもうまくいかないことです。意識をいかに抜いて、どう相手とシンクロするかという感覚に到達するために訓練しているような感じです。

鎌　田　シンクロね。

ハナムラ　ぼくは異化を考えてきたので、いまはその反対の同化について考えているのです。環境に同化する、相手に同化する。この同化と異化を使い分けるとき、何がポイントになってくるのだろうかと思っています。

鎌　田　『身心変容技法研究』第五号（二〇一六年）でわたしが書いた修行論の一つは、シンクロ能力をどう高めるかなのです。でも、シンクロ能力を高めるのは、神と一体化するとか、大日如来や不動明王と一体になるとか、密教の三密加持《さんみつかじ》などの修行は完全にシンクロ能力の拡大なのだけれど、けっこう危ないんですね。オウム真理教はまさにそのシンクロ能力の拡大を目指した。それを実践させようとして、イニシエーションのさまざまな階梯の中にグラデュエートしていったのです。そのとき間違ったモデルにシンクロしたら、フランケンシュタインみたいなとんでもない怪物が生まれるわけです。でも、脳内のミラーニューロン（自分が行動するときだけでなく、他者が行動するのを見たときにも活性化するニューロン）が示しているように、シンクロ能力はすべての人間にあるので、相手がたとえ神であろうが、悪魔であろうが、何であろうがシンクロできるのです。物まね自体がシンクロ行為ですからね。

ハナムラ　だからこそ、何とシンクロするのかが重要になってくるのでしょうね。

# 第4章 意識の進化

## †スケールが変わると正解が変わる

## 『新世紀エヴァンゲリオン』に見るシンクロ能力

鎌　田　一九九五年にオウム真理教事件があったでしょう。その日の三月二十日は、さきほども言ったようにわたしの四十四歳の誕生日だったのです。

ハナムラ　そうでしたか。

鎌　田　地下鉄サリン事件の年の一月十七日に阪神・淡路大震災があって、その年の十月から半年間、『新世紀エヴァンゲリオン』というSFアニメがテレビで放送されました。

ハナムラ　庵野《あんの》秀明監督ですね。

鎌　田　『新世紀エヴァンゲリオン』は、世界と人類の未来という問題に非常に象徴的な視点を投げかけていました。ある種、神話的な問いかけをしたのです。

ハナムラ　そうでしたね。

鎌　田　テーマソング「残酷な天使のテーゼ」に、「残酷な天使のように　少年よ　神話になれ」という歌のフレーズがあったように、人類補完計画という人類救済に向かう新しい神話をつくれるのかというテーマですね。「エヴァンゲリオン」というのは新約聖書の冒頭の『福音書』という意味で、「新世紀」というのは、ギリシャ語で「NEON GENESIS」、つまり旧約聖書の冒頭の『創世記』を意味する。だから、『創世記』と『福音書』という、旧約と新約があって、「NEON」つまり英語で言えば「New」というのは、それをさらに新たにするという、非常に挑戦的な題目を「NEON GENESIS EVANGELION」としたわけです。そしてそこで、「わたしとは何？　汝とは何者か？」と問いかけた。ぼくの居場所はどこにあるのか。ぼくって何？　ぼくはどうやって生きていけばいいのか、という自己を巡る問いなのですね。われを巡るすべてが問いなのですが、主人公の少年、碇《いかり》シンジができる唯一の技は、エヴァンゲリオンと呼ばれる超巨大な汎用人型決戦兵器にシンクロできるということなのですよ。このアニメーションは、十四歳の少年少女にのみ、シンクロ能力のピークがあるという設定です。これもなかなかおもしろい設定……。

庵野秀明監督『新世紀エヴァンゲリオン』

ハナムラ　なぜ十四歳なのか興味深いですね。

鎌田　境界年齢、元服直前の年齢、それが十四歳。庵野秀明監督たちがすごいのは、母親を失ったり、親に捨てられた子どもがシンクロ能力が高いと設定したこと。いわゆる欠損家庭の少年少女たちですね。その欠損、喪失も非常にダメージの深いものがもっとも同調能力を高めることができるという設定なので、目の前で母親を失い、父親がその母を殺したのではないかという疑念を持っている碇シンジ君がいちばん心のダメージが大きいわけですが、同時に強力なシンクロ能力を持っている。

彼の中にあるエディプスコンプレックスとも言えるような心理は、彼自身の自己との同調感を、自分が自分であるという感覚を阻害している。自分をストレートに肯定できない。常に自分を否定してしまう。捨てられたとか、お父さんはぼくが嫌いなんだとか、ぼくは生きていく価値がないんだとか。だから、わたしはわたしである、わたしであっていいという自己肯定の感覚を彼は持てないし、わたしは愛されていないと思っているし、素直に愛されることができないわけですね。彼にとっては愛されることが恐怖でもあり、愛することもわからない。そういう自我感を持っている。自我のデフォルメの極を彼自身は持っている。しかし、そういう彼がもっとも同調能力が高いのです。

ハナムラ　欠乏感があるから、さらに同調しようとするんじゃないですか。

鎌　田　それをうまく物語はつくっていて、彼は人類補完計画の最後のステージを行くキーマンになるという設定なのです。彼が父と和解するかとか、母から自立することができるかという問いかけは、まさに自己と自我と世界との調和をどうやってつくることができるかという物語になるのですが、そのときに同調、シンクロというのは極めて重要な問題になる。つまり、シンクロできなければ駄目だけど、シンクロしすぎても駄目で、そのバランスをどうとることができるか。そこにいま言っている異化と同化の間の微妙な駆け引きがあるというのか、うまくバランスをとれないということがあって、それがバランスさせられたときにアートも生まれるし、日常もうまく生きられる。このへんが鍵になるのではないですか。

ハナムラ　そうですね。欠乏感がシンクロさせるだろうという話もそうですけれども、仏陀の唱えた仏教はどちらかというとシンクロを避ける方向なのだと思います。対象物や記憶を通して受ける感覚からいかに心を客観的に切り離してシンクロさせないかということをやっている。でも、神道は神主が巫女に神を下ろしたり、積極的なシンクロを目指している。多くの宗教ではシンクロさせる方向が一般的なのかもしれません。初潮前の女の子が生き神になるネパールのクマリなどもそうですが、シンクロできるような世代の幅として自分の身体性をまだ自覚する前という条件があるような気がします。でも、シンクロを目指す神道と、シンクロすることを避ける仏教が、日本で出会って……。

鎌田　変にシンクロしちゃった。

ハナムラ　そうです（笑）。日本で出会って、反対のものが統合されたというのですかね。その両方がうまくバランスしているとすれば、日本は稀有な国だなと思います。鎌田先生が書かれていたのですが、「神は立つ、仏は座る」と。

鎌田　うん。対極的にある。「神は在るもの、仏は成るもの。神は来るもの、仏は往くもの。

神は立つもの、仏は座るもの」という三組の対極。

ハナムラ　対極的にあるもの、二つの相反していると思われるものが、じつは一つの本質を指している。それを身体性として獲得した日本を、洗練された文化と呼ぶのかどうかということですね。

鎌　田　それを洗練と呼ぶのか、生き延びていくための力を、生存の可能性を成就したと捉えるのか。あるいは、たまさか地政学的に恵まれているだけだとも言える。このプレートが四枚も重なっている変動の極みにあるようなところで、異化効果が起こったというか、不思議な交配が生まれた。まったく原理は違うのだけれど、キメラ的に合体できた。そういうことかもしれない。

ハナムラ　陰陽合一《いんようごういつ》と言ってもいいのかもしれないですね。相反するものがポンと当たって一段階上のものが生まれる。

鎌　田　それは合一と言えるのかどうか。生命のというか、何か次元の越境が起こったと思うのです。

## 破壊と創造のダイナミックバランス

鎌　田　そのとき、わたしにとって重要なのは、たとえば比叡山などにすべてがあるということです。わたしは比叡山の麓に住んでいて、「東山修験道」をやっています。

比叡山に何があるかと言えば、密教と禅の両極を比叡山は持っているのです。そして、『法華経』と『阿弥陀経』、題目と念仏の両方を持っている。

ふつう日本の宗教史を教科書風に習うと、基本的には禅と日蓮も仲が悪いし、禅と密教も考え方が違うので関係はよくない。念仏と『法華経』の題目も仲が極めて悪い。とくに日蓮系の法華主義や法華一乗思想が念仏をたたいて、法然をばんばん批判し、この二つが完全に別れてしまっている。念仏が説くような、あの世で極楽往生するという信心は、この世においては何の救済にもならない。法華思想はこの世にあって、この世を救済する、一種の人類補完計画なので、霊友会も立正佼成会も創価学会も、この世において浄土をつくるという思想なのです。

ハナムラ　現世での理想郷ですね。

鎌　田　寂光浄土《じゃっこうじょうど》をこの世界に実現する。それを『法華経』が説いている。その『法華経』の精神を比叡山は受け継いでいて、『法華経』の一乗思想に特化したのが日蓮なのです。

比叡山は建築から見てもおもしろいと思います。法華堂にある、東塔、西塔、横川という三つのゾーンと、無動寺というゾーン、厳密に言うと四つのゾーンが比叡山にあって、無動寺が千日回峰行の伝承と修行のゾーンです。東塔に最澄が最初に創った一乗止観院の発展した国宝の根本中堂がある。そして西塔には浄土院という最澄の廟がある。東塔と西塔の両方で、法華堂と常行堂という、『法華経』三昧のお堂と念仏をするお堂とが渡り廊下でつながっています。東塔のほうは、左側に法華堂があって、右側が阿弥陀堂、二つが廊下でつながっている。西塔のほうはその逆。どういうことから逆になったのかは知りませんが。

ハナムラ　鏡のようになっているわけでもない？

鎌　田　写しのようですね。

ハナムラ　完全に反転されているのでしょうか。

鎌　田　それもすごくおもしろいのだけれど、とりわけ比叡山はすごいとわたしが思ったのは、そういうことを思想的にやったのかどうかは別にして、建築が見事に融合しているということです。奇妙なハーモニーですね。思想的には対極にある彼岸指向のものと此岸の救済を説くものとが、原理が違うのに、これほどつながることができる。そして、そこから天台密教という、真言密教よりも精緻化した密教が生まれると同時に、そこで坐禅三昧をすることで、栄西や道元を生み出した。この比叡山にはすべてがあるのです。まさにその麓で西田幾多郎が「絶対矛盾的自己同一」の思想を展開したのですが、矛盾しているものの自己同一。これはアウフヘーベンと言えるのかどうかわかりませんが。「止揚」ではなく、「止降」というべきか。

ハナムラ　そうですね。難しいところですね。

鎌　田「絶対矛盾的自己同一」。アウフヘーベンと言うと弁証法的には乗り越えなのですが、反対のものが一つになるのですから、乗り越えてもいないのです。融合していって、それが一つの大きな生命体のようなものになっている。この構造を比叡山は持っていて、常に同化と異化をその時代において貪欲に相互侵入的にやっている。それがすごいなと思う。

ハナムラ　生態学で言うと、スタティック（静的）なバランスじゃなくて、動的なダイナミックバランスに近いという感じですか。

鎌　田　まさにダイナミックにバランスされている。

ハナムラ　歩くということがまさにダイナミックバランスですね。バランスを崩さないと歩けないし、でも、バランスが全部崩れると歩けない。

鎌　田　倒れるからね。

ハナムラ　ずっとバランスを崩しながら保って、崩しながら保ってを繰り返して前へ進む。異化と同化の話じゃないですけど。

鎌　田　破壊と創造。

ハナムラ　破壊と創造が一瞬にして繰り返されている。じつはそうした破壊と創造を繰り返す無常性は、二十一世紀に入ってさまざまな領域で常識になりつつある。たとえば分子生物学では、数十兆個の細胞が消滅、生成、消滅、生成をずっと繰り返している状態が人間の在り方なのだということが当たり前になっている。もっと細かいレベルだと素粒子の対生成と対消滅（対生成はエネルギーから物質が生成する現象、その逆が対消滅）も、まさに秒単位、ナノ秒単位でダイナミックバランスが起こっているのだという世界観が提示されたということですね。量子力学がそれを提示していると思うのです。たぶんそうした理解をベースに二十一世紀の世界観が展開されていく。そうした世界観はじつは太古の人たちが持っていた世界観と非常に近いものなのではないかと思います。

鎌田　そうですね。おそらく先住民の思想の根幹にある生命感覚とか存在の感覚というのは、そういうバランス感覚なのでしょうね。

ハナムラ　そうなんです。仏陀の世界観もそれと非常に近い。最先端テクノロジーによって、ぼくたちはそうした世界観へようやくもう一回原点回帰した、そういう時代にきているんじゃないかなと思います。さっきの演劇のセリフの構造もしかり、建築とかデザインの循環性もしかり、宗教の持つダイナミズムもそうだし、科学が指し示しているものも同じ方向を向いてきた。要するに、「無常の世界観」ですね。すべての物事は瞬時にして常に移り変わっているのだという世界観が、あらためて二十一世紀に立ち上がってきたんじゃないかと実感しています。

その中でわれわれができることは何なのか。むしろ何かすることを放棄したほうがいいのか。さまざまな問いをそこに立てることができる。今日はそのあたりを話してみたかったのですが、いまほとんど共有意識に至っているように思います。

## 動物信仰とシンクロニシティ

鎌　田　シンクロの問題をもう少し違う角度から見ていきたいのです。一つは、動物信仰というもの、これは世界中にある。先住民の聖地、トーテムポールがそうだし……。

ハナムラ　アボリジニもそういう文化を持っていますね。

鎌　田　自分たちの先祖は鳥であるとか熊であるとか。それは単なるデザインじゃないのですね。つまりシンボルじゃないのです。レヴィ＝ストロースの構造主義は、知的なクランの分類のために、そういうものを、自分たちはタカの一族であるとか、ヘビのクランであるとか、分類と交換のコミュニケーションの一つのシステムや方法として考える。わたしはそれが表面的というか、一面の解釈にすぎないと思っているのです。

ハナムラ　なるほど、おっしゃることはわかります。

鎌　田　もっと深いというか、もっと身体的なのだと。つまり、わたしは本当にタカの一族なのだと。本当にリアルにタカなのだというのが、やはり原点にあると思うのです。単なるサインじゃない。だから、わたしたちは本当にタカの変形体というか、バリエーションであって、ここをどう理解するかが、宗教にとってとても本質的に重要だと思うのです。そのときに同調ということが起こる。アラスカのクリンキット族は、儀礼でレイヴン、つまりワタリガラスの仮面や衣裳を着て、シンクロし一体化する。まさに能で言う物まね、合気道の合気の相手になる。

ハナムラ　相手との同化ですね。

鎌　田　ワタリガラスになって、儀礼においてそれを生きているわけです。そういう同調性を極限まで進める。そして自分たちのクランのトーテムポールの物語として神話を語り、かつ儀礼においてそれを反復して、自分たちがレイヴンとか、タカの一族とか、ワシの一族であるということを確認しながら生きていく。そういう同調のシンクロニシティが持っている、深い深い身体性がある。実際はもちろん人間なので、異化されざるを得ない。違う仕組みも持っているのだけれど、同時に、そういうものを自分たちは引き継いでいるという意識は極めて重要で、それがないとシフトできないのです。

ハナムラ　そこに前世がそうだったという輪廻的な話は入ってくるのですか。そういう話ではなくて?

鎌　田　生まれ変わりというのも世界中に古くからあるので、輪廻転生の昔は動物であって、というよりも、もっとダイレクトに、その一族そのものがその血統を受け継いでいるというリニアなラインです。DNAそのものです。そこに生まれ変わりも接ぎ木されているところもあると思うのです。日本の場合は両方じゃないですかね。たとえば、その名残りは九州の菊池氏だったか、うろこを背中に持って生まれてくるという一族伝承があります。これはトーテミズムに近いものがあると思います。

ハナムラ　トーテミズムに近いですか、なるほど。

鎌田　あるいは『古事記』や『日本書紀』に出てくるしっぽを持って生まれてくる吉野の井光《いひか》（『古事記』では井氷鹿《いひか》）とか、モンゴル人や日本人やアメリカ先住民などが持つ蒙古斑もそうだけれど、何かの印を持って、デザインされて型を担って生まれてくる。

ハナムラ　だから、象徴とか精神性などではなくて、物理的な話ですね。

鎌田　物理的でもあり、身体的でもあり、しかも象徴にもなり得る。でも、その象徴になり得る元は、もっと身体的な根拠や物理的な実態があるということなのです。

ハナムラ　おもしろいですね。

鎌田　ブラッドシステムの中にもある。

ハナムラ　進化生物学的に捉えたらどうなんだろうとちょっと思ったのですが。いまの井光の話もそうですし、しっぽを持って生まれてくる子の話とか、ミュータント（突然変異体）のようなかたちで生まれてくるという話は、世界中にたくさん伝承としてあるじゃないですか。あれって、前世とかそういう話ではなくて、本当にリアルに……。

鎌田　たしかに、ミュータントですね。

ハナムラ　ミュータントを引きずっている。ミュータントが進化を進めていくというのも進化生物学では定説になってきている部分があって、いまの話はそのあたりの話と関係していることなのかどうか、ちょっとぼくは理解できなかったのですけど。

鎌田　関係しているかどうかはわかりませんが、『古事記』や『日本書紀』を見ると、有尾人、尾のある人が出てくる。吉野に住む部族を、『古事記』では「尾の生えた土雲」と記し、『日本書紀』では「光りて尾あり」とか「尾ありて磐石《いわ》をおしわけてきたれり」と記していますね。

ハナムラ　そうですね。神はもともとしっぽを持っていたという。

鎌田　土蜘蛛だけでなく、国栖《くず》もそうだし。それがだんだん象徴化・儀礼化されてくる。その元になる形態変化と身体記憶と象徴行為、シンボリズムには不連続の連続があるのです。

ハナムラ　オーバーラップしながら進化しているのですね。

鎌田　そのすべてがいまに至るまでつながっているわけではないけれど、切れながらもそこに戻ろうとする。

## 〝わたし〟を発見したホモ・サピエンス

ハナムラ　ぼくは最終的には生命の進化に関心があるのです。われわれはどこからきて、どこに向かうのかということを知りたい。本当にどこからきたのだろうと思う。ぼくらはいま、この歴史の中でどういう役割を果たしていて、どこに向かっていくのか。ダーウィンの「進化論」が正しいかどうかは別にして、大きな生命の歴史においてわれわれがどこに位置づいているのかを知りたいと思っています。

ホモ・サピエンスには少なくとも二百万年の歴史があって、それ以前もありますよね。アフリカのチャド共和国で見つかった骨を起点にすると、人類が始まったのは七百万年ぐらい前からです。少なくとも二百万年ぐらいからはホモ族の歴史と言われていますが、ユヴァル・ノア・ハラリの『サピエンス全史――文明の構造と人類の幸福』（邦訳は、河出書房新社、二〇一六年）によると、七万年前ぐらいから認知革命があったと。人間の頭の中に何かが起こったのですね。

鎌田　ネアンデルタールはもっと先ですね。

ハナムラ　クロマニヨン、ネアンデルタールとダブっているのです。ネアンデルタールというのは本当に不思議で、あの種だけちょっと奇妙ですよね。脳容量もホモ・サピエンスより大きかったし……。

鎌田　歌を歌っていたし……。

ハナムラ　そう。芸能はあったし、死の埋葬の概念もあったようですが。

鎌田　ネアンデルタール人は死者に花を供えていたという説もありますが、言語を持っていたかどうかはわからない。

ハナムラ　いずれにせよ、七万年前に人間の頭の中に何かが起こったのです。それは何だったかを想像してみるのですけど、自然を見つめている自分を発見しちゃった。つまり〝わたし〟を発見したのだと思うのです。

あまりにもいろいろなものが無常にうつろう自然の中で、それを見ている自分を発見して、たぶん怖くなったと思うのですよ。目まぐるしく変わっていく自然と、それに反応する不安定な精神を持つ自分を発見してしまう。それがものすごく怖くて仕方がないというところが宗教の原点になっているのではないかと思っています。

そこから人類の進化は肉体ではなく、環境の領域に移る。一万五千年前に定住生活が始まって、環境が改変される。さらに五千年ほど前に都市ができて、自然と人間との間に線引きがされる。そして百五十年前に産業革命が起こって、自然の中でさらに特異な存在となる。どんどん変化のスピードが上がってきて、次はどこに行くんだと。次に起こるのが生物学的な進化なのか、それとも内部の意識の進化なのか、問いは尽きません。

人間がサルや他の生物から進化してきたということが、もし正しいのであれば、これまでは生物学的に形態を変化させることで生命は進化をしてきたのかもしれない。でも、これから先、そうやって形態を変化させることで進化していけるのかどうかはわからない。ＡＩのようなものに人間の進化が引き継がれる可能性だって大いにあるような気がしています。

鎌　田　そうですね。ロボットやサイボーグ。

ハナムラ　ロボットやＡＩにはそれこそ怒りも欲もないですからね。シンギュラリティ（技術的特異点。AIが人類をしのぎ、技術革新が爆発的に進み始める時点）の話でも言われていますが、仏教の涅槃《ねはん》に近い状態のままAIが意識を獲得できると、進化の中での人間の役割としてはもう不要になってしまうという可能性もあります。

これまでの話は生物学的なところをまだ引きずっています。神様はしっぽがあった。神から人になる瞬間にまだしっぽを持っていたとか、うろこがあったという肉体の進化から、だんだん人の内面意識の進化として精練されて、次にそれがどこに向かうのか。そのために有機体である必要すらなくなるのか。どのあたりに真実があるのか、興味深くはあります。

鎌田　真実はもちろんわかりませんが、進化の考え方というのは宗教にとっても十九世紀のダーウィン以来の科学にとっても、非常に大きなテーマなのですね。仏教もキリスト教も進化という言葉で語ってはいないけれど、違う人間になりなさいということは言っています。人間としてもう少し脱皮をしなくてはいけないとか、何かそぎ落としていかなければいけない、あるいはもっと純化しなければいけないと。

ハナムラ　洗練させていくことですね。

鎌田　それから神の国に入っていくために、この世の何かを捨てなければいけないとか、そういうことはずっと教えているし、道教だって仙人になることを教えている。そういう意味では、人間はメタモルフォーゼということをずっと問い続けているのですね。

一種の〝神まね〟みたいな、神様になりなさいというようなことですね。それは進化ではなくて神化、あるいは仏化、成仏することもそうだけど、何か違うシステムに人間自身がならなければいけないというメッセージは送っていると思うのです。

## ネイチャーの次元で考える

鎌田　わたしが先住民の思想に惹かれるのは、そういう人間がもっと超人的なスーパーマン、ニーチェの使ったドイツ語で言えば、ウーバーメンシュ（Übermensch)。ニーチェの超人は英語で言うと、「スーパーマン」あるいは「スーパーヒューマン」ですね。でも、あくまでも「マン」とか「ヒューマン」なのですよ。

ハナムラ　メンシュ的に言うとね。

鎌田　メンシュの連続であり、グラデーション。超人もあくまでも人だから、たしかにヒューマンスケールの物語はあるけれど、わたしにとってはヒューマンスケールはやっぱり物足りない。

ハナムラ　わかります。

鎌田　ネイチャーのほうがもっとおもしろい。ヒューマンな次元だけじゃない、ネイチャーの次元で考えていったときに、何か違う芽がいっぱいあるように思うのです。人間は滅んでも、違う何かの形態にドライブしていくような。

先住民はそのへんのところで直観的にトーテミズムのようなものを持っていて、自分たちの先祖はワシであるとかタカであるということは、自分たちは未来にまたワシであったり、タカになったりするかもしれないという変形可能性のような部分を内在させている。つまり、動物になることは退化ではなくて、もっと進化することだという可能性を持っている。

わたしが東山修験道をやるのは、冗談半分、真剣半分に、ここではわたしはサルに向かって進化するのだといった言い方をするのです。それを命題にした、知り合いの作家がいるのです。宮内勝典さんの小説『ぼくは始祖鳥になりたい』（集英社、一九九八年）です。わたしは始祖鳥が本当に好きなのです、昔から。つまり、恐竜が始祖鳥に進化して、その始祖鳥からいろいろな鳥類が発生してきたという進化生物学的ストーリーがあるじゃないですか。『ぼくは始祖鳥になりたい』は、超能力少年がもう一回先祖返りするように、違う意識と身体の在り方に変容していく物語なのです。わたしはそちらのほうの意識のドライブがやはりあると思い

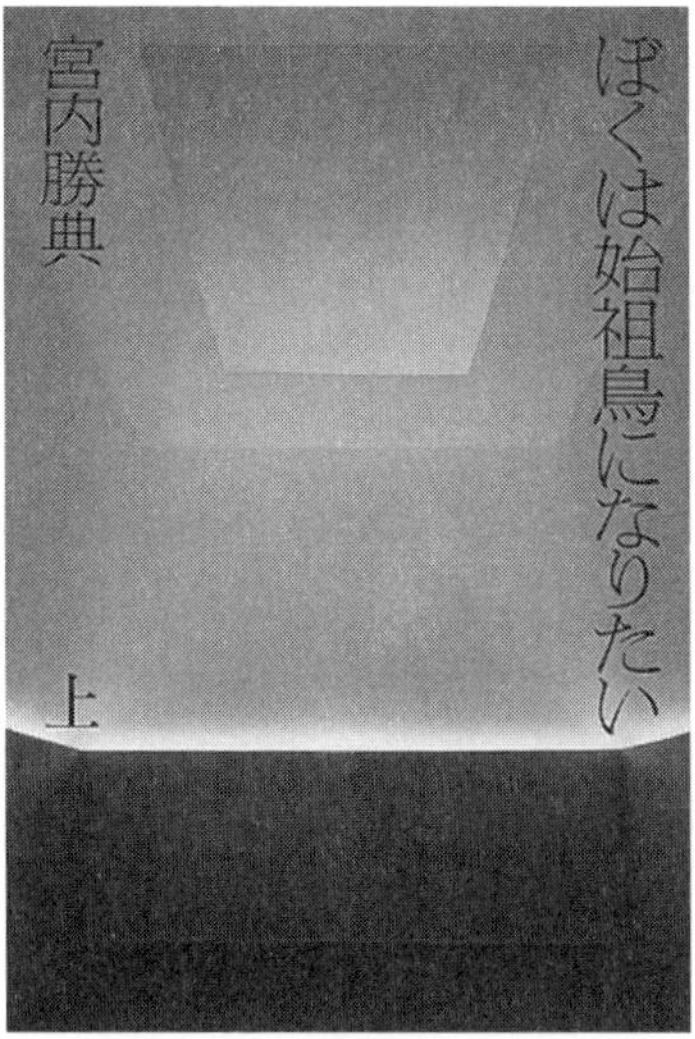


宮内勝典『ぼくは始祖鳥になりたい』

ますから、『ぼくは始祖鳥になりたい』というフレーズは実に奥深いメッセージを持っていると思う。わたしのトーテムは恐竜なので、わたしは恐竜の子孫であると本当に思うのです。恐竜の記憶がある。

それをさらに見ると、地球の記憶や宇宙の記憶ということになっていくのですね。そういうものがある種の生命形態に分化していく、特化していくわけだから。われわれの中に恐竜と言ってもいいし、始祖鳥と言ってもいいし、あるいはアメーバと言ってもいい。地球、あるいは宇宙のようなものになっていったら、これは神秘主義で言う流出論（新プラトン主義のプロティノスが唱えた神秘思想。完全なる一者から段階を経て世界が流出して生み出されたとする思想）なのだけど、そういうところに立ち返る。多くの宗教的思考は、そういう根源存在に行き当たります。その根源存在からの世界の展開は、創造か流出か、大きく二つの考え方があっても、何かそこから次のドライブを生み出しているわけですね。

そういう進化論的身心変容のメッセージと可能性は、近未来で、五百万年、一千万年、あるいは何億年という単位では間違いなく起こると思うのですね。そのとき環境が刺激を与える。つまり隕石が落ちるとか、ノアの箱舟もそうだと思うし……。

ハナムラ　大洪水も劇的な環境変化ですね。

鎌　田　大洪水なども進化や文明に大きな決定的な影響を与える。モーセ的な『エクソダス』（出エジプト）を促すから。

ハナムラ　紅海が真っ二つに割れるといったことや、大洪水や隕石のようないろいろなことがこれまで自然災害として起こってきています。津波に呑み込まれるとか、火山が噴火するとか、大地が振動するようなことが、人間の身体にも、精神にも、大きなインパクトを与えてきた。それは強烈な風景異化なんですよね。自然はダイナミックバランスなので、生態学の中では攪乱という要素がすごく重要です。環境に何かの攪乱が起こることによって、一度リセットされてぐっと違う方向にいく。

鎌　田　わたしは攪乱されたい人間なのですよ。

ハナムラ　攪乱されたい（笑）。さっきの話は非常に納得できる話で、進化というのをぼくらは平面的に見ている。平面的に見ると、始祖鳥に戻るという話かもしれないですけど、上から見ると、らせんのようになっていて、同じところに戻っているように見えるかもしれないけど、じつはずっと深まっていっているという話ではないかと思うのです。おっしゃるように、人間だけの進化を考えなくても、地球で、あるいは宇宙で何かが進化していけばいいという考え方に立てば、人間中心主義といったところから脱出できると思います。

鎌　田　ヒューマンスケールからいかに離脱できるかということが、わたしの思想のいちばん根幹にあるのです。仏教もキリスト教も基本はヒューマンスケールだと、わたしには見えるのです。

ハナムラ　密教はどうですか。

鎌　田　やはりヒューマンスケールだと思います。先住民とか神道は基本的にネイチャースケールで、そのネイチャースケールのもっとも深い根幹で、存在というか、宇宙というか、そういうものが何を望んでいるかというと、擬人的な言い方ですが、「何をしたいの、あなたは？」……。

ハナムラ　自然や宇宙が何かを意図しているのかですね。どういう意志を持っているのか。

鎌　田　進化論は、たとえば神父で古生物学者であったテイヤール・ド・シャルダンの究極の「オメガ点」（シャルダンは、主著『現象としての人間』において、宇宙は物質界から生物圏《ビオスフェア》を生みだし、叡智圏《ヌースフェア》を通過して究極のオメガ点へと進化すると唱えた）のような、合目的的な自然観は持たないわけですけれども、その存在とはいったい何かという問いの謎は残るのですね。なぜ、このような宇宙や存在の在り方を、世界は生み出し続けているのかという問い……。

ハナムラ　法則や摂理と言い換えてもいいかもしれないけど、ぼくは摂理という言葉もわりと好きですが、宇宙の意図ではなくて法則という捉え方をしたいです。自然はそういう法則にしたがったものだというように。でも、法則も無常である以上は必ず変わるのだと思います。長いスパンで見ると地球はずっと回り続けない、いつかは止まると思うんです。いつかなくなると思うし……。

鎌　田　そういう意味での変化はありますね。

ハナムラ　だから、かつて正しかったものがずっとこの先も正しいとは限らないし、縁起説ではないですけど、かつて起こったことが原因になって、次の結果が生まれて、また変化が生まれてくる。その中で攪乱というのは一気に変化するクリティカルな瞬間だと思うんです。

ぼくがイメージしている異化というのは、ひょっとしたらそれに近いかもしれない。いままでこうだと思っていた閉塞感から殻を破って抜け出るために、何かの刺激が外から加えられる。中からもそれに呼応していく。啐啄《そったく》同時、卵の殻を外から親がつついて、同時に中から雛鳥がつついて卵が割れていくように、主体と客体からの刺激がシンクロしたときに、何か新しい進化が起こるんじゃないかと思います。

鎌田　大きな変化というのは環境変化なのですね。人間が引き起こす最大の変化は、たとえば火災事故などがあったとき。原子爆弾による破壊とか原子力発電所の事故は別物だけれど、それは意図しているわけじゃないから、意図せずにそういう状態になったからあたふたしている。人間の意図は別にあって、それはうまく安全に運転させていくという意図です。でも、自然界というのは不意打ちが起こるわけです。それも非常に厳密なメカニズムの中で、ある種、法則的に何十年か何百年かで地震も含めて起こってきていると思うのです。間違いなく、因果関係の連鎖の中で起こってきている。その節目の変化のときに人間が大きなダメージを受けたり、あるいはその変化に耐えきれなくて、苦悩を背負い込んだり、喪失を経験し、いろいろな意味で痛みを経験していくわけじゃないですか。そういうものが人間世界に、あるいは人間の心や身体そのものにも、一夜にして髪の毛が真っ白になるようなものをもたらすのです。もう泣き疲れて、泣き疲れた後に顔が変わってしまうようなことが起こり得る。

ハナムラ　起こり得るでしょうね。

鎌　田　その抱えきれないような苦悩が人間を変えてしまう。そういうことをわれわれの生命体は、すでにいろいろな機会に経験してきたのではないか。これから先も、破局も含めて経験するであろう。でも、その破局というのは一面的な見方にすぎないので、それが生命というか、さきほどの言葉で言うと存在の摂理ですね。

ハナムラ　摂理かもしれませんね。ぼくは聖なるものはそういう法則と関係するものではないかと思っています。人々は、聖なるものはすごく安全で輝かしいものだと思っているけど……。

鎌　田　わたしにはそうは思えない。

ハナムラ　聖なるものは安全で輝かしいというのは本当に一面的な見方ですよね。われわれの命が危険にさらされるかもしれないような、あるいは人間の理屈では理解できないようなことが起こっても、それは自然にとっては必然。ぼくにとってはものすごく不都合な、不条理なことが起こっていても、そこに聖なるものが存在する場合もある。

鎌　田　「ちはやぶる神代」とはまさにそういう概念なのです。われわれの速度とは異なる異次元的なものによって動いてしまう回転力や振動を持っているから、「千早振る神」である。われわれはこの空気、この時間のテンポの中では安全なのだけれど、この一瞬を高速にガアッと回してしまったら、身体なんかばらばらになってしまうわけですね。

ハナムラ　本当にばらばらになりますよ。

## 振動がもたらす痛い快感

鎌　田　わたしは機械的に起こした身心変容でいちばん感動したのは、ロケットの打ち上げを見に行ったときなのです。一九八九年に秋山豊寛さんが宇宙に出る前のソユーズ11号の打ち上げを旧ソ連に見に行きました。ソユーズ11号は二百メートルか三百メートルぐらい離れて見ないといけない。ロケットから一定の距離がないと観測できないのです。

ハナムラ　そうですね、風景を見るためには距離が必要ですね。

鎌　田　秋山さんも含めて、ソ連の人たちもそこで一緒にロケットの打ち上げを見ているわけです。初めてロケットの打ち上げを見たとき、まず驚いた。ロケットというのは、飛び上がっていくときの速度はすごく遅いんだよね。噴射するんだけど、ヒューッとすぐには飛ばないのです。空中浮遊をするように、本当にゆっくり、ふわーっとエレガントにワルツを踊るかのように上がっていくように見えるわけです、強烈な音はするんだけど。

それが見る見る加速されて、ものすごい速度で上昇し、最後は点になって、その点も見えなくなっていく。本当に一瞬にして上昇加速がつく。そのとき、ロケットの噴射の光が地面にたたきつけるようにして火が見える。それを噴射しながら上がっていく。その部分が光のように見えて、太陽の小さい点みたいになっていくのです。

その後、音は光の速度より遅いから、後からやってくる。噴射の後に音が振動になってやってくる。そのとき、蜂の大群に刺されたような、針の大群が自分の体を突き刺してくる。これはすごい。この噴射の五十メートル内にいたら、死んでばらばらになって、穴だらけになってしまう。それほど空気振動が痛いのです。音が空気振動としてくるから、鉄砲で撃たれるような感じで、ガアーッと突き刺してくる。これはすごい快感なのです。

ハナムラ　快感でしたか。

鎌　田　すごい快感なのですよ。いままで機械的に経験した身心体験でいちばん感動的なのは、それなのです。この振動を受けたら、それ以前と以後とで何かが変わるぐらい。わたしは『2001年宇宙の旅』が大好きですからよく見るのです。

ハナムラ　スタンリー・キューブリックですね。

鎌　田　チンパンジー（ヒトザル）たちがモノリスに触るじゃないですか。そのモノリスは振動しているとぼくは思うんだよね。

ハナムラ　なるほど、それはおもしろいですね。

鎌　田　あのチンパンジーたちはそれを受けているのではないかと思う。そういうことがないかぎり、チンパンジーは変化を起こさない。しかし、彼らは身体から変わっていく。あるいは

スタンリー・キューブリック監督『2001年宇宙の旅』（1968年）

脳から変わっていく。ものすごく強烈な音波か電磁波か何かわからないけれど、それを受けているはずだと思います。

たとえば、隕石の落下などはそれだけの影響力があるじゃないですか。巨大な隕石が落ちたとしたら、至近距離にいる周りの生物は全部死滅しますよね。だけど、ぎりぎりのところにいるものは、その振動を大気から感じるでしょう。世界の終わりのような、見る見るうちに噴煙で、舞い上がった灰やすすや岩屑などで覆われていくので太陽が隠れて気温も急激に下がっていきます。でも、生きているものはその中で生き延びていかなければならない。そうすると、いままでの秩序というか、世界のホメオスタシス（恒常性維持機能。体内環境を一定に保とうとするはたらき）が一瞬にして変わるわけだから、その中で生存していくのは、違う芽を出さないかぎりは無理ですよね。こういうことは地球環境において過去に何度も起こった。そのつど、その環境の変化が引き起こしていく意識の変化はどのようかと問える段階まできるにはあるレベルが必要だけれど、形態の変化は間違いなく生存のために起こしてきたと思うのです。

ハナムラ　突然変異が生まれる原因ですね。環境が変わるから変異せざるを得ないという状況が、たぶん生命のほうに必然的に出てくる。

鎌　田　内発的なものかどうかですね。わたしは内発的なものはないとは言えないけれど、やはり外発的なものがすごく大きいんじゃないかと思う。

## サヤがはじけて実が飛び散るのはなぜか

鎌　田　ところで、わたしは東山修験道で比叡山に六百回以上登拝していて、行くたびにいろいろと発見があるのだけれど、この間、山を歩いていると、雨のような音がしてくるのです。パリパリ、パリパリパリと。これはいったい何かなと思っていたのですが、そのうちに木の実であることがわかった。これです。

ハナムラ　豆みたいな感じですね。

鎌　田　サヤエンドウのような感じ。それが落ちてきていたことに気づいたのです。それで落ちたのを探したら、割れて実だけ落ちてきたものと、サヤの両サイドにちゃんと実がある状態で落ちているものと二種類あった。それで両方拾って持って帰り、家に置いていたのです。そうしたら、妻が発見してくれたのですが、わたしが東京に出張している間に、夜中に突然パンと割れて中の実が飛び散っていたのです。割れながら落ちてくるものと、割れないで落ちてくるものがあるようです。割れないで落ちてきたものも、二日か三日経つとパリンと割れる。彼らは種がどこに落ちていくかわからないわけだし、風が吹いたらまたどこに行くかわからない。鳥がついばんで運ぶこともあるでしょう。そういうふうに、いろいろなかたちで種がまき散らされていくことで生存の可能性を広げていっている。時間をかけてこういうバリエーションの多いプログラムができあがっている。ランダムだからいろいろな可能性があるわけです。

ハナムラ　落ちてきても、まだ生きているのですね。

鎌　田　そういうプログラムを持っているということ自体が感動だよね、すごいなと思った。

ハナムラ　その反対のことを言うようですけど、生態学をやっていたので、まったく裏返しに見ると、この木の実は同じ状態でいられなくなったからはじけたとも言えるのではないでしょうか。この同じ状態でいることがもうたまらなくなって、これじゃ駄目だと辛抱できなくなったから、パチンとはじけた。生命というのはそういうものと捉えることができるとぼくは思っています。つまり、ぼくらが飯を食べるのは、お腹がすいた状態でいられないからだし、かといってずっと食べ続けている状態でもいられない。眠るのも、ずっと起きていられないからだし、逆にずっと眠っていられないから起きる。つまり、仏陀が言うように「ドゥッカ」から逃れるために生命は違う状態に向かわざるを得ないという考え方は、ぼくの感覚に非常に近いと思っています。

鎌　田　「ドゥッカ」とはどんな意味ですか。

ハナムラ　「ドゥッカ」は「苦」と訳されますね。

鎌　田　ああ、煩悩の苦ね。

ハナムラ　仏陀は苦をパーリ語で「ドゥッカ（dukkha）」と言いました。つまり生命というのは、苦からいかに逃れるかということの繰り返しであると。いまの木の実も、そのままの状態でいられないからパチンとはじけて落ちて新しいものになる。種から芽が出てくるのも同じですね。種の状態ではもういられなくなって、パチンとはじけて芽が出てきて、芽の状態ではもう駄目だから葉っぱを出して、葉っぱじゃ駄目だから花をつけて、また種になって、ということの繰り返し……。

その苦から逃れていく連続の中で、新たなカタチが生まれてきて、生命は進んでいく。そのカタチのありようが、宇宙の法則としてプログラミングされているのではないかと。話を戻すようですけど、ぼくはデザインの原点はそこに置くべきなんじゃないかと考えています。ぼくがゲーテの形態学に関心があるのは、植物や動物のかたちとそれがなぜ生まれるのかという因果関係に着目していたからです。

つまり自然界における生命のデザインの原点は、人間が意図してつくるかたちではなくて、もっと根源にあるものや原型にあるのではないかと。しかし、その根底にあるのはじつは積極的で美しいものではなく、生命がいまの状態ではいられなくなるから形態を変えざるを得ないというところにあるのではないか。だから、もうこいつはしんどくて仕方がないから、こうならざるを得なかったという、生命礼賛の考え方をまったく裏返しから見た捉え方もあるのかなと思っているんです。

鎌田　神道は生命礼賛の思想の一つの極だと思うのです。それが「むすび」という考えになっていく。一方、仏教の無常というのは、苦から始まっているわけですね。でも、最近ぼくは無常とむすびは同じものだと思うようになったのです。だって、無常も変化なのだけれど、むすびも変化なのです。だから、メタレベルで言えば、無常もむすびも生成変化。大きな変化をするはたらきなのですね。そのときに苦もあれば、快もあるわけです。

ハナムラ　そうですね。苦と楽は対概念ですから。

## 一オクターブ上のわたし

鎌　田　仏教の浄土もそうだけど、静けさ、調和というか、快を求めているのですね。だから、欲望は苦しみを生むとして、欲望を捨てることが快になる。絶対安静の微笑の状態、喜びの状態になる。そして、永遠の幸福な状態が解脱《げだつ》ですね。そうすると、そういうところから抜け出ることも含めて、快になっていく。生命も成長の段階で声変わりがあって、それは苦しいんだけど、声変わりしたら何かが違ってくる。

ハナムラ　何かを失うが、違うものが手に入る。

鎌　田　よき状態に入って、そのよき状態から老化していったらまた違う状態になって、それでまた声が出なくなっても、また気持ちもよくなっていく、脳内物質が出たりして。そういうふうにして、生命は生存していくために、いろいろな快と不快、空《くう》も含めて、そういうものを行き来させているのではないか。

ハナムラ　ダイナミックバランスですね。

鎌　田　そのときに苦が引き金になっていることは間違いないですね。だから、苦悩をどう捉えるかということは、その人の変化とつながっている。そのときにメタノイア（回心）が起こるのです。つまり、自分に与えられた罰や苦しみや状況喪失、そういうものはいったい何の意味があって、なぜわたしはこうなるのか、といったようなことがきっかけになって悔い改め（回心）が起こる。

ハナムラ　細かい言葉は忘れましたが、シュタイナーがそういうことを書いていたように思います。なぜ悪魔が生まれたのかというと、悪魔の誘惑から逃れるという自由意志を手に入れるために、あえて悪魔が生まれたんだとか……。変化していくという現象を、苦から捉えるのか、礼賛から捉えるのか、これは裏表の話だと思うんです。でも、言っていることはたぶん同じことで、ずっと変化していくことに対して、苦が与えられた。それを乗り越えるときにメタノイアが起こる。さっき、まさにそのことをおっしゃっていたと思うのです。

その状況がきたときに、自分で乗り越えていく意志のようなものが生まれてくる。異化というのはそういうときに起こる。たとえば、自分の身体から片足がなくなってしまったときに、ものすごく喪失感があると思うのです。でも、それはそれまで当たり前にあったものに気づいたり、感謝したりする大きなチャンスがやってきていることでもある。一つの現象が捉え方によって、苦となるのか、快となるのか、このあたりが大きく変わってくる。どっちが幸せかと言うと、やはり快として捉えていくほうが幸せだと思います。その快を、欲望を満たしていくとか、快楽を追い求めるという意味としてではなく、安穏であったり、心の安らぎとして捉えればですが。

鎌田　感謝とかね。

ハナムラ　感謝とか、もう一オクターブ上の快、充実というか成熟というか。そういう感覚をいま持てなくなってしまっている。だからいま精神的な支えがすごく必要とされていて、宗教やその代わりのものを求める力も大きくなっています。そうした社会的課題にどう答えていくかという話が出てきます。

建築にしても芸術にしてもランドスケープデザインにしても、いままでとは違う社会の課題や人間の課題があって、そうなるといままでの方法ではうまくいかず、新しい方法を模索しないといけない。そこで聖地とか聖なるものにヒントがないだろうかというのが、今日ずっと話しているテーマですね。

鎌田　デザインも身心変容技法も、突きつめると転換する、メタモルフォーゼするということに尽きる。

ハナムラ　転換、つまりぼくの言葉で言えば、異化やまなざしを変えていくということですね。

鎌田　その転換をどのようにして惹き起こせるか。そしてその転換が、よきものと言うとヒューマンスケールになってしまうのだけれど、少なくともより共有された意味のある転換になるためにはどのようであればいいのかということが問われていると思います。

ハナムラ　それはやはりこれまで捉えていた「わたし」の捉え直しをしていくことだと思うんです。自分はこうであると思っていたことがじつは違っていたという捉え直しはメタノイアであり、役者の身体もたぶんそうあるべきだと思うんです。ワンステージ終わったり、撮影が終わったりすると、自分の中で新しい自分が生まれているという感覚があるんです。わたしをいかに捉え直していくのかというのは、すごく重要なポイントではないかと思います。

鎌田　英語では“I am me.”と言うのですか。“I am I.”という言い方も成り立つと思うのだけど。“I am that I am.”というのは神なのです。だから、“I am me.”ではないのですね。ユダヤ教の神は十戒を授ける前にモーセの前に現れたとき、「わたしはわたしであるところのものである」、つまり、“I am that I am.”と言ったのです。あるいは、“I am who I am.”英語で言えば、そういう言い方。わたしにとっての問いは、では、“I am I.”は何かということになる。そのときに小文字の「i」と大文字の「I」がある。小文字の「i」はわたしたちの理性で統御できるある種の自我的な「i」だけど、そういうものを踏み越えて、踏み破って、壊しても発現してくるような「I」が大文字の「I」です。その大文字の「I」をどう捉えるか。「無心」と言っても、「I」がないわけではないのです。つまり、わたしの身体なり心なりが、そういう状態をまねてまた元に戻るので、そのとき、やっぱり「I」は残るわけです。だから、〝I am that I am. I am that you are.〟なのか、そのへんのところが問題です。
ハナムラ　シンクロですね。
鎌　田　その〝I am〟に溶け込んでいく、含み込まれていくところの「I」とか「you」など、他者がどういう関係になるのか……。
ハナムラ　その話はおもしろいな。それへの応答ではないですけど、ぼくはデカルトの「コギト・エルゴ・スム（われ思う、故にわれあり）」という言葉に近代の呪縛がある気がしています。それに対してフロイトが指摘したのは、〝われ思うところに、本当にわれはあるのか〟ということだったと思うんです。自分がこうであると理性的に考えている自分というものは、果たして本当に自分なのか。じつはその自分が考えている自分の外側に自分はあるんじゃないか。
　自分ではないと思っていたものが自分であったり。ワシのような鳥と自分は違うはずなのに、自分はワシかもしれないということは、コギト・エルゴ・スムとは真逆のベクトルなのではないかと。ひょっとしたら別のものとのシンクロも、その外側の領域にあるだろうし、そのために自分を異化する必要がある。
鎌　田　もっと大きな同化……。
ハナムラ　そのもっと大きい同化を手に入れるために……。
鎌　田　異化は必要……。

ハナムラ　いろいろな角度から異化する必要があるということではないかと思います。

鎌　田　メタノイアですよ。

ハナムラ　メタノイアですよね。それとか、仏教で言うところの、心と身体を切り離して感覚を一回冷静に分析することで、より大きな智恵を得るというか。密教的には小我から大我へと言ってもいいのかもしれない。

鎌　田　そうですね。だから、その小我と大我は小文字の「i」と大文字の「I」ということになるでしょう。「我即大日」というとき、我は小文字の「i」の小我で、大日は大文字の「I」の大我。そうすると、「梵我一如《ぼんがいちにょ》」も同じことを言っているのですね。そのときに、それを実在として、実体化してしまうと間違ったところへ行くよということを仏教は教えている。このリスクをもっと安全な方向で捉えようとするので、物事すべて実在論的に見ずに、関係論的に見るわけですね。

ハナムラ　縁起的に見ていくという考え方ですね。

鎌　田　そこのところは認識論としてもう一つ精密になっている。否定性を帯びているわけです。仏教の優れたところは、そういう人間の素直な信頼じゃなくて、その人間が持っている煩悩を含めて、負の部分、負の遺産をどう見据えながら、そこをいかにして脱却できるかという視点があるところです。負を踏まえて、どう肯定できるかですね。

ハナムラ　そうですね。仏教は当時のバラモン教に対してのアンチテーゼであった。バラモン教はある意味で快を見ようとしていた宗教だと思うのです。でも、生きるということは快ではなく苦であるというテーゼをもって、バラモン教に対しての異化効果を仏教が与えた側面もあったんじゃないかと、ぼくは理解しています。

鎌　田　そういう常識的なというか、その時代を支配していた宗教に対する批判は間違いなくあった。だから、そのときにみんなに共有されていたバラモン教やヒンドゥー教の初期の宗教の形態に対して、本当にデ・サインした。

ハナムラ　異化効果ですね。

鎌　田　間違いなく一回離れたのです。そんなふうに、素直にというか、単純に言えない。もっと人間の心は微妙で、苦しみも含めて、さまざまな作用をしているので、それをもっと緻密に見て、そこから解放されていく道を探らねばならないのじゃないですか、ということですね。

## 聖人はみんなトリックスターだった

ハナムラ　山口昌男先生が言うトリックスターの思想というのがぼくはわりと好きで、芸術家の役割にはトリックスター的なところがあるのかもしれないと意識しています。世界の九十九パーセントが信じることに、いや、そうじゃないんじゃないかということを考える役割を果たすのですね。

みんなが王様は素晴らしい服を着ていると言ってひれ伏しているときに、子どもが王様は裸だと言った。誰もがハッとさせられる。そうした全員の約束事を異化するような役割を果たしてきた存在はこれまでにもたくさんいたという気がしていて、そういう役割がいまとくに必要じゃないかと思うんです。

それを誰が担うのかとなったときに、かつては村外れに住む賢者であったり、道化であったりした。しかし、社会に対する他者が少なくなったいま、アーティストが自覚的に担わなければいけない部分が増えてきている気がします。また一部の目覚めた宗教者が担わなければいけない部分も増えてきている。そういうトリックスターの役割が、時代、時代の節目で必ず必要になってくるというのが実感としてあるんです。それを担っていく役割の人間が出てこなければならないのではないかというのがありますし、自分もなるべく作品においてそういうことを目指したいとは思います。

鎌　田　いまあがめられている聖人はみんな、生きていた当時はトリックスターだったと思います。老子も孔子もトリックスターじゃないですか。誰にも相手にされないような苦難な道を歩んで、その後、神格化されていく。イエスは犯罪者として処刑された。ソクラテスは死を宣告された人間です。彼らのアクションも知性も最高にトリッキーですね。

ハナムラ　本当にトリッキーですね。

鎌　田　でも、それが人類の二千数百年の歴史の中で聖人に祭り上げられたので、そのいちばんトリッキーな部分をわれわれは理解していないと思うのです。

ハナムラ　小さなスケールでは不正解に見えることが、大きなスケールで見たときには正解であることは多々ある。ぼくは『まなざしのデザイン――〈世界の見方〉を変える方法』（NTT出版、二〇一七年）で、それを「砂糖菓子のジレンマ」として書きました。自分が砂糖菓子を持っていて、あげると子どもが「わあ、ありがとう」と言って喜ぶ。その一部分だけ切り取ると問題なく幸せな風景です。あげたぼくもうれしい、もらった子どももうれしい。でも、それをずっと十年続けていたらどうなるか。子どもは肥満か糖尿病になる。

鎌　田　虫歯になって、食べられなくなる。

ハナムラ　なぜ、あのとき砂糖菓子をいっぱいくれたんだ、みたいなことになるわけです。小さな時間スケールで物事を考えるとそういう間違いを犯すことが起こりうるのです。

鎌　田　資本主義はまさにそれです。

ハナムラ　本当にそうですね。ぼくは社会がそうした近視眼的な判断で間違いを犯すことを非常に危惧しているんです。小さなスケールで出した正解だと言われている答えが、大きなスケールで見たときに必ずしも正解とは限らない。また逆に小さなスケールで間違っているように見えたことが、大きなスケールで見ると正解のこともあるわけです。イエスだって処刑されたし、仏陀だって王族なのに乞食のようなことをしていると思われていた。そういう意味で言うと、ああした人物たちは時代の中でかなり異端児だったと思うんです。

鎌田　そうですね。

ハナムラ　でも、もっと大きなスケールで人類史的に見たときには正しいことをやっていたということは多々ある。だから、その認識の転換みたいなことが大事だと思うし、自分の下している判断が、ひょっとして小さなスケールでは視野狭窄《きょうさく》になっているんじゃないかと気づくことは日々あるのです。

より長い人類史で見たときに、それは正しいことなのかと常に問いかけていたいですし、自分が何かものをつくったり、何かを表現するときのモチベーションは、そうした真理への探求のプロセスにあるような気がします。

だから、自分の中の何かを表現するモチベーションよりも、もっと大きなスケールに寄り添うというか、もっと本質的なところ、生命の本質みたいなものを確かめたいというのが、表現や研究のモチベーションになっています。

鎌田　日本の宗教史を見ていくと、行基、最澄、空海、法然、親鸞、日蓮、一遍、間違いなくみんな異端児です。

ハナムラ　本当にトリックスターですね。

鎌田　その時代に優等生で、そこに収まるような人物じゃなくて、全部ドロップアウトした人、アウトサイダーですね。だけど、ある因縁で彼らは政権の中枢や、あるいはその時代の対抗軸に、ある種の摂理のように、縁《えにし》のようにして上がっていて、その後、神格化されていく。でも、彼らがもともと爪はじきされるような存在であったことは絶対忘れてはいけない。

ハナムラ　そうですね、その時代に主流の価値観だけで判断すると短絡的になるかもしれない。

鎌　田　どの人も、その前半生、最初の段階において、完全な異端児ですからね。

ハナムラ　人間は愚かなので、そのときは正誤の判断ができないんですね。みんなイエスに対して石を投げるわけです。イエスが十字架に架けられたとき、総督がイエスとバラバのどちらを赦免するかと民衆に問うと、民衆はバラバを救えと言って、バラバが釈放される話がありま す。われわれは正しい判断ができない。そういう意味で言うと、長い目で見たときに、いま異端だとされている人たちをぼくらは笑えない可能性があるわけです。

鎌　田　笑ってもいいんだけど、それが自分に跳ね返ってくる。そして、そういう大きい歴史の証言が人類全体に何をもたらしていくのかを考えなければならない。

ハナムラ　本当にそうですね。

# 第5章
# 聖地の創造
## ――生命力を活性化させる場所

## 洞窟と滝

鎌　田　聖地の起源について、どんなふうに考えているのかを話してみたいと思います。

聖地の起源というのは、人間だけではなく、あらゆる生命が生存するために発見していった場所の感覚だと思うのです。それが人類にとって聖地になっていった。生存に必要な何ものかを確保するために、あるいはその生存をより豊かにするために、より生命力を強化するためにとか、いろいろな意味や機能があると思うのです。そういうはたらきを聖地は間違いなくしていると思っています。

動物は巣をつくる。それは人間が家をつくることの原型だと思います。人間はなぜ家をつくるのかというと、そこで安全が確保されるからであり、日常の秩序を敵の妨害から守り、くつろいで寝たり食べたり、コミュニケーションをすることができる。そこでさまざまな活動をすることができる。その拠点になり、拠り所になる安全な空間の一つが家だと思います。

ハナムラ　おっしゃるように、建築のあらゆる機能をそぎ落としていくと、最終的に残るのは「安全な居場所を確保する」機能ではないかと、ぼくも思っています。

鎌　田　生物が生物として機能し、活動していくためには、ある程度安全性が担保されねばならない。常に危険にさらせていたのではストレスフルで、その危険によってダメージを受け続けてしまって、個体も滅ぶし、種全体も危機に陥っていく。

そのダメージがいちばん大きいのは環境の変化。気象の変化とか、あるいは大きな津波であるとか、隕石の落下だとか。そういうものは大きなダメージを与えるので、種全体の絶滅は、恐竜の絶滅も含めて、いままでもたくさんあった。そういうものから身を守るためにも、巣のようなもの、あるいはシェルターのようなものをつくっておかなければならない。その巣のような、シェルターのような、ある種の安全装置の一つが、聖地だと思うのです。

ハナムラ　なるほど、巣と聖地はともに安全装置だということですね。

鎌　田　巣というのは、多くの生命体、生物にとって、種の保存を安定的にキープし促進していくために必要な環境であったり、状況であったり、場所であったりする。それぞれの形態は少しずつ違う。だけど、生命を保持していく役割を与えられているという点では共通している。

人間はかつてどういうところを巣にしたのかというと、一つは洞窟だと思います。そこでは安全を担保できるし、落ち着いて話をしたり、食べたり眠ったりすることができる。生存に必要な空間の原型は洞窟です。もっと言えば、胎内は洞窟だと思うのです。その洞窟が、宗教の発生とか人間の進化に大きな影響を与えている空間であると、わたしは思っています。

そして、何かあったときにも洞窟に逃げ込む。シェルターも人工的につくられた洞窟ですから、安全や生命の保持などを、それによってプロテクトしている。そういう古代の洞窟の中でさまざまな遺跡が発見されてきた。そこに洞窟壁画が描かれた。それはさまざまな芸術的な表現の始まりの一つを示しています。

ハナムラ　洞窟の暗がりの中では外部の風景は見えないので、まなざしは自ずと自らの内面に向かいます。それが芸術と宗教を生んだのだと思います。

鎌　田　人類にとって聖地のいちばん原型的なものとしてある洞窟空間で身心変容が起こったとわたしは思っていますが、それだけではなくて、ランドスケープが大きな影響を与えている。たとえば那智の滝のようなもの、巨石のようなもの、『２００１年宇宙の旅』のモノリスのような何か、そそり立つ何かとか、断崖絶壁とか。

　これは非常に危ない部分を含んでいますが、でも、大いなる何か、絶対的な威力が感じられるもの。那智の滝は百三十三メートルもある。上から滝壺へ飛び込んだら間違いなく死んでしまう。

　そこは危険性を孕むのだけれど、巨大な自然の息吹や力を感じさせてくれるので、その前に立つと細胞が揺り動かされて、生命力を目覚めさせられ、強化されたかのような、ハイな状態を生み出します。空間そのもの、場所そのものがそういう力を持っている。

　それを証明するのに、ぼくは龍村仁さんの『地球交響曲《ガイアシンフォニー》』をよく例に挙げます。『地球交響曲』第四番に、ジェーン・グドールというイギリスの動物行動学者が登場します。彼女は、チンパンジーの肉食であるとか、道具の使用だとか、そういうことを世界に先駆けて発見し報告して一大センセーションを巻き起こした。

そのジェーン・グドールが、『地球交響曲』の中でこんな話をしています。彼女はタンザニアのゴンベというところに行って、そこで苦労しながらチンパンジーの生態を観察し、研究するようになった。とくにジェームズという名前をつけたチンパンジーと非常に親密になっていったようなのです。

那智の滝

そして、チンパンジーの生態をより仔細に観察できるようになったとき、チンパンジーがある美しい滝の前に行くと、必ず狂ったように踊ることを発見した。ものすごく跳ねて踊って、蔓を揺らし、胸を叩いてドラミングするといった振舞いをする。

ハナムラ　何か場所のチカラを感じているのですね。

鎌　田　まったく、そう。彼女は、その映画の中でこう話しています。「このとき、彼らに言語があったら、宗教が生まれていただろう」と。わたしは、動物行動学者のジェーン・グドールが、「宗教」と言ったことに、「ああっ」とうならされるものがありました。

宗教とかデザインのサイン、あるいはシンボル、そういうものがあったら、間違いなく宗教的なものが生まれ、そこに行って礼拝をし、柏手を打つか、歌を歌うか、踊りを踊るか、なにかしら記念的な行為をするわけです。

なぜならそこには、人間であったら神と呼ぶような、あるいは動物であっても、チンパンジーであっても、何かを訴えかけてくる自然の力動というものがある。非常に深いインパクトを与えるもの。そしてそれが生命活動を活性化するようなものだと、受けとめるほうも直観的にわかっているわけです。

ハナムラ　聖地とは人間だけでなく、他の動物や生命にとっても聖地なのですね。

鎌　田　そう。それは、神である大いなる存在、グレートスピリットとか、たかみむすび、かみむすびとか、そういう聖なる存在が生まれてくる原型は、人間以前からあるとわたしは思う。

那智の滝のようなものは世界中にある、ナイアガラの滝とか。人間だけではなく、いろいろな動物は、そういう自然界の圧倒的な威力や息吹を感受して、それに対してリアクションをしている。そのリアクションの中に、動物界の聖地の原型的構造がある。

人間はそれを、あるカタチにデザインし、特化していくことができたわけですね。そこにしめ縄を張る、あるいは飾り物をつける、祭壇を組む、神社やお寺をつくるなど、さまざまな記念碑的な建造物を置くことによって、それら聖なる物を聖別――誰にもわかるように聖化していく――ということをやっていった。しかしその原型というか起源は、間違いなく生物学的なもの、進化生物学的に必要な空間の感覚であった。だから動物とも共有されるようなものであった。

その段階から、シンボル的な構造、行動が加わっていく。その原型的な聖地空間は、洞窟が一つであり、滝のようなところとか巨石とか巨木とか、自然界の中でも、ある偉大なものを感受させるような何かは、とくにそういう場所に選ばれやすい。そこに行くと隠れやすいということもあったりする。

ハナムラ　イギリスの地理学者のジェイ・アプルトンが、人が心地よさを感じる景観の一つに「眺望が効くが自分の身体は隠れている場所」を挙げています。自分には敵の姿が見えるけど、敵から自分は見られないという安全性を動物は本能的に好むのだと思います。

鎌　田　隠れるとか、安全というのはとても重要な生存感覚ですね。たとえば、大木がある、巨石があるということ一つをとっても、地盤が強固で安定的でないと、千年、二千年のスギとかクスノキの巨木は育ちませんね。津波に襲われたらぺしゃんこになってしまうし、地震で地割れしたら木は倒れるわけだから、二千年、三千年、五千年のスギがあるということは、そこが安定し、安全で守られた環境であるということです。そういうものを森の主、森の神として大切にしていく。それはもっとも長寿なものですから。巨石も動かない。それもまた長時間を経験しているものとして、それを大切にすることが重要だった。

それによって、人間の種の保存や安全や安定を図るシンボル的な行動を起こしていった。日本でいえば、そこにしめ縄を張るなり、何かを聖別する飾り物をつけたりして、そこで祭壇を組んで儀式を行い、聖なる建築を建てて空間を聖化していく。セイクリッドなものにしていくわけですね。

ハナムラ　安全な場所が時間を超えて受け継がれていくのですね。

## 聖地・生地・性地・政地

鎌　田　そう。そこから、やがて、自然に依拠した、自然の息吹や威力を強く発現するような場所ではないところに都市が生まれた。都市は完全に人工的な空間ですから、人間が木を伐り倒し、森を切り開いて、都市のようなものをつくったところに神の像を置いた。
初期の神の像は動物神的なものが多かった。それがやがて人間的なものになっていく。だから、人間神のようなイメージ以前に、ホルスの神をはじめ動物神がエジプトにありますね。そういう動物神像のようなものが重要で、それは人間の神イメージの一つの変遷を表していると思うのです。聖なるものの感覚がよりヒューマンスケールになっていくプロセスを表している。

ハナムラ　自然から動物を経て人間へと移行していくのですね。

鎌　田　そうですね。元々は、ネイチャースケールであった。神も聖地も、ネイチャーなものの力と息吹をもっとも強く感じるところであったのですが、それはやがてヒューマンスケールになっていって、完全な人工空間である都市の一角に神殿をつくり、その神殿の初期の神像は動物神のようなものであったのが、やがてマルドゥク神とか天照大神とか、人間的な造形になっていった。そこでヒューマンスケールな宗教文化が生まれてきて、その聖地も極めて人間的なはたらき、機能を発揮するようになっていった。だけど、本来的には聖地は根源的な生命力そのものを目覚めさせたり、強化したり、喚起する力を持っているわけです。

ハナムラ　なるほど、やはり生命力と場所との関係ですね。

鎌　田　そこでわたしは、聖地は聖地であり、生地であり、また性地であるという、語呂合わせのようなことを考えてきたのですよ。聖なる場所である聖地は、まず第一義的に生命力を目覚めさせ、強化する生の地、生きる地ですね。それはエロスも含む。だからこそ、そこは性地としてセクシャルな力を発動していく。それは、種の繁殖ということにもなり、その種の強化ということにもなるのですが、そういう象徴的な生殖儀礼のようなもの、あるいは男根とか女陰といったものも重要なシンボルになっていく。インドで言えば、リンガとヨニのようなものですね。

ハナムラ　性から生命が芽生えるので聖になると……。

鎌　田　次に社会が、縄文時代のような生物的な群れのようなものであれば、集落も、三十、四十人から百人、二百人というバンドのような集落形態、居住形態から、灌漑農業などが生まれてくれば、もっと大きい規模の何千人単位の集落ができてくる。すると、まさに社会をデザインし、コントロールしていくための権力や政治組織や力関係を示す構造、つまり階級や身分制度が生み出されてきます。分業的で交換的な経済体制も生まれてくる。

　そうすると、富める者と貧しい者、支配する者と支配される者が生まれ、奴隷制も生まれてきます。そして、聖地の囲い込みというか、王権と結びついたり、権力者と結びついた聖地が生まれてきます。

　都市の中にも王権と結びついた聖地ができると同時に、古くから伝わってきた聖地も政治化される。だから、聖地は政治的なフィールド、つまり政地になるわけです。

ハナムラ　宗教的な領域が、政治的な領域に取り込まれていく。

鎌　田　たとえば、藤原京なら三輪山、平城京では三笠山、若草山がその山になる。平安京にとっては比叡山、愛宕山とか船岡山、そういうところは風水的に言っても重要な場所なので、この都を安定したものとするためには、これらの場所を祈りの場所として確保しておかなければならない。比叡山はまさにそういう祈りの場所になるのです。ある時代には、ハナムラさんが育った生駒山もそういう聖地的にも重要な集落を持っていた。それらの山は非常に重要な意味合いを帯びて、そこでさまざまなレジェンド（伝説）やミトロジー（神話学）が生み出されてきた。

ハナムラ　小さい頃はそんなことはまったく意識していなかったですが……。

鎌　田　そうでしょうね。わたしも同じですよ。そして、仏教が入ってきたら仏教、それがまた山岳信仰や神道と結びついて修験道とか、いろいろなものが儀式化されてきて、元々の聖なる場所は、神道的にいうと奥宮、仏教的にいうと奥の院となり、そういう森林の奥深いところで修行するのです。空海も山林で修行した。やっぱり街中では修行はできないのです。

奈良仏教と平安仏教の大きな違いは、山林修行をしているかどうかです。千日回峰行を生み出した比叡山もすごく奥深い山林です。高野山は言うまでもありません。空海は、四国などいろいろなところを経巡り、山野を跋渉《ばっしょう》しながら虚空蔵求聞持法《こくぞうぐもんじほう》などの修行をやっていた。間違いなく山奥の森の中や洞窟のようなところで真言を唱え続けるといった修行をしていた。

そういう中で、日本の宗教をつくり上げ、それを核にして、そこを非常に重要な場所にしながら、周辺に塔頭《たっちゅう》寺院を建ち上げていって、比叡山や高野山など、日本を代表する仏教の聖地霊場が生まれてきた。またその弟子たちが各地でミニチュア版のようなものをつくり上げていって、鎌倉時代になっても江戸時代になっても、聖なる場所はそれぞれの宗教において重要なものを生み出していった。
ハナムラ　聖地が今度は宗教を生み出していくのですね。
鎌　田　そういう一面もあるでしょうね。一方、権力のほうは、たとえば桓武天皇にとっては平安京を維持するために象徴的な仕掛けで人々を安心させ安定させる必要があった。まずは安全でなければいけないし、安定させなければいけない。目的は秩序の維持です。安定させるためには、生命的にも安全でなければなりませんし、心も安心し、リラックスできないといけません。その両方をある程度担保できないと先へ進めない。
　安心するための装置として、仏教や神道の祈りというものがある。賀茂神社、伏見稲荷神社、松尾神社など、古くからの神々の荒ぶる力をヒューマンなものへとなじませるというか、荒ぶりすぎないように、荒御魂《あらみたま》と和御魂《にぎみたま》のバランスがうまく取れるように、神はちゃんと祀らなければならないということと、仏教的な御祈禱、加持祈禱、鎮護密教のような祈りによって、より安定した空間や社会を維持していく。そのために仏教を国家鎮護仏教、象徴装置として取り込んでいく。そのようにして比叡山はもっとも重要な国家安全装置として機能していくわけです。
ハナムラ　聖地の役割が、「個体」の安全性の担保から「集団」としての安全性の担保にシフトする。

鎌　田　だから、空海が御所の中に真言院をつくり、高野山と東寺を背景にしながら、国家鎮護を祈り、安心をつくり上げていくわけです。それが本当に安全であるかどうかはその人たちのアクションやリアクションにも関わっているのですが、間違いなく安全装置になり得たのですね。

その拠点となるのが聖域です。それは、真言院のように住居、建築になったとしても、いちばん重要な本尊を祀るところがもっとも聖なるものとして、何かの依《よ》り代《しろ》や象徴になるようなところに建てられるとか、あるいは重要な一角をとくに聖別してつくり上げ、その聖なる感覚をデザインし、世俗の中にも聖なる物をデザインしなければ安心できない。

祈ろうとしても、たとえば渋谷のスクランブル交差点では祈れませんよね。氷川神社とか明治神宮のようなところに行って、そこの森の中で手を合わせると、心も静まってくる。

ハナムラ　聖地には「静けさ」という空間コードが間違いなく必要なのだと思います。

鎌　田　はい。キリスト教の信徒であれば、喧噪な空間から、四谷のど真ん中の駅前にあるイグナチオ教会や、火災で焼け落ちてしまいましたが、パリのど真ん中にあるノートル・ダム寺院の大聖堂の中に一歩入ると、街中の世俗とはまったく違う異質な、ステンドグラスや聖なる装飾に取り巻かれた空間があって、そこで神に対面できる。そういうデザインがやっぱり必要で、それによって心の平安を取り戻すことができる。それは一定の機能を果たしている。

ハナムラ　人の心を静かにするための空間デザインという視点から考えねばなりません。

鎌田　そうですね。日本の宗教の歴史では、政治は朝廷や権力を取り込みながら、祈りを社会の安定のためにうまく活用していった。それが天台密教や真言密教の手法にあるわけです。それは『源氏物語』などに密教者の祈禱として描かれています。

それがさらに修験道やさまざまなものになり、芸能になれば、天下のご祈禱として能のようなものになる。神楽も基本的にはわれわれを守っている神の力をこの世界にダウンロードする、下ろしてきている。そういうものを再確認することを通して、社会の安定や安心を生み出してきた。そのときに、聖地が重要な拠り所として機能してきました。そのいちばん基層のものである洞窟や滝や巨木など自然の息吹を感じさせるものが、いわば奥宮的なもの、奥の院的なものです。それから中継点として里宮があって、遥拝所のようなものができる。それは街中に出張して、世俗の中でもさまざまなご祈禱をし、ちょっと安心できるような小さな社《やしろ》になったり祠《ほこら》になったりする。そういうふうにして、人身の安心と安定をつくりだそうとした。

ハナムラ　それぞれの地理的な位置に応じて、最適な聖なる空間的装置を配置していったと言えそうですね。

## 祈りの方法をアップデートする

鎌　田　だけど、いくらそういうことをしても、災害は起こるときには起こる。とくに中世のような時代には、世の中が乱れて戦乱が起こる。戦争は人災ですけれども、人災が起こるきっかけとして凶作や不作などがあって、そのために税を取り立てて人々を苦しめるとか、そういう苦悩や痛みがあるわけです。

苦悩がなければ反乱は起こらない。そのままずっと維持していればいいのですから。その苦悩は、やっぱり環境の変化が最大の要因だと思うのです。それがもっとも安全を脅かすものである。安全が脅かやかされたときには、政治的な効力も発揮できない、伝統宗教の祈りも効かないとなったら、新しい祈りの仕組みや方策を生み出すしかない。

その新たな心の安定化を図る作法として、南無阿弥陀仏とか南無妙法蓮華経とか、いままでとは違う作法が生み出される。これが新たな一つの身心変容技法だった。

社会の安定や人心の安心が生み出され、次に乗り越えていくための動力が必要となる。信仰というのも、苦悩を次の未来の幸いに変えていくための原動力になり得るわけです。

ハナムラ　祈りの方法をアップデートする必要があるわけですね。

鎌田　そう。システムも古いバージョンや古いソフトだと、もうこの苦悩に太刀打ちできない。そして、新しいソフト開発なりが宗教においても起こり、イノベーションしてきて、そういう宗教の機能する場所として、たとえば、黒谷（金戒光明寺のある京都市左京区黒谷町）とか横川（比叡山延暦寺の本堂にあたる横川中堂がある区域）など、新しい聖地が生まれてくる。こうして新しい聖地の新しい拠点、出張所というか、活動集会所のようなものができてきて、そこがまた次の聖地になっていく。それがいまの浄土宗の総本山とか浄土真宗の大谷のような総本山です。

そういうふうにして宗教は、社会の変化や自然環境の変動の中でイノベートしつつ、今日までできている。そこには、さまざまな宗教のバリエーションがあるので、聖地霊場の諸相も生み出されてきている。

だけど、ユングが言う原型のような聖地の構造はある。その原型構造は、自然の息吹が突出し、それを聖なるものとして感受できるエリアであり、フィールドですね。聖なるものが示現する空間の依《よ》り代《しろ》があるわけです。世界中にそれはある。その空間の依り代を基点にしながらできあがっていくのは、ヒューマンスケールの聖地の原型だと思うのです。

ハナムラ　多くの生命が感受する場所のチカラを、人間が感じる能力は下がった。それを想像力で補おうとしたのかもしれません。

鎌田　それで、その空間の依り代にさまざまなイデオロギーや神話、物語、教義がくっつき、宗教教団の教団サイズのカリキュラム、カテキズム、あるいはトレーニング、修行、プラクティス、プラクティショナル、つまり実践的な、身心変容技法的ないろいろなかたちの儀礼や修行が生み出され、それが聖地、霊場を支えている。お遍路さんも、その一環に取り込まれている。

社会全体から見れば、そういうさまざまな宗教が機能することによって、一定の人々の心の拠り所になり、安心をつくり上げる装置にもなっている。政治も、そのへんのところを危険になりすぎないようにしながら、うまく利用してきた。とくに江戸の幕藩体制などは、宗教の危険性をほのめかし、うまくコントロールしながら安定化を図っていった。たとえば、日光東照宮や各国の藩主を祀る神社なども、鎮護国家的なスケールの新しいタイプの神社でした。

ハナムラ　生命保険のようですね（笑）。本当の危険になるとまずいけど、危険だと思ってもらわないと必要性を感じてもらえない。

鎌　田　まったくね。それでも幕藩体制は続かない。世の乱れが生まれてくる。天保の大飢饉などが原因で農民は疲弊していくし、人々は苦しみに遭う。いまの政権のように、自分たちの権力の温存のために保身する人たちと、本当に苦しんでいる、新しい動きを望む人たちとのぶつかり合いの中で、社会の体制を変えなければいけないという動きが出てくる。その社会の体制を変えるときに新しいメッセージが授けられるような場所が、新しい聖地にもなった。たとえば、「共産党宣言」にゆかりの共産党の聖地のようなものは、やっぱりあった。それは宗教ではなくても、自分たちの思想の、あるいはアクションの拠り所になる記念碑的な場所、たとえばマルクスが『資本論』や『共産党宣言』を執筆した家とか、マルクスが最初にアクションを起こしたときの何々とか、そういう記念碑的な空間がある。

ハナムラ　イデオロギーや人も信仰されれば宗教になりますから。

鎌　田　宗教ではないところでも、そういう、それぞれの思想や教団、あるいは運動の場所の聖別化が起こる。ある種の神格化とか神話化が起こって、それぞれに重要な場所が特定されていく。

政治も社会運動も、それをうまくシンボル的に利用しながら、新しい活動や動きにつなげていく。あるいは、それによって自分たちの動きをより力あるものにするとか、バチカンにペトロの墓があるように、モスクワにレーニンやスターリンの廟ができたり、北京に毛沢東の廟ができたり、いろいろな聖別の味つけをしていくわけです。

ハナムラ　観光社会学者のジョン・アーリなども、そうやって聖化する作用が施されることで聖地が社会的に創造されていくというようなことを言っていますね。

鎌　田　いま置かれている状況は、はっきり言って旧来のシステムでは機能しない。さきほど、モダンとポストモダンの相克、確執が問題になりましたけれども、モダンは、もう資本主義、コマーシャリズムの中で行き詰まっている。ポストモダンも、モダンを乗り越え、別のものを生み出していく力にはなり得ない。

そうしたときに、地球環境問題のような、地球全体の気象空間の変動が起こってきて、地震も火山の爆発も空気の汚染状況も、あるいは深層海流の動きもどうなるかわからない。本当にバランスが崩れてきている。そういうときの突破口として、ヒューマンスケールのデザインでは何もできない、無力だと感じられるところから、パワースポットブームが生まれてきています。

ハナムラ　現代の問題は全体が複雑に絡み合って、もう局所的には解決できなくなっているんです。聖地巡礼ブームはそれを無意識に感じていた一つの現れではないかと。

鎌　田　聖地霊場巡りも含めて、そういう場所が持っている力が、次につながっていくための通過点としても、再認識するための一つのプロセスとしても取っかかりになるのではないかという、ある種、文化的な本能があるように思う。聖地に立ち返るといったような。その聖地には、さきほど言ったように原点と原型起源があって、さまざまなバリエーションを生み出しているので、それぞれの希求に見合った聖地がまだ役割を果たしていると思う。

ハナムラ　個別の聖地でも、まだ個々の人々の心の不安には応えるチカラがあるのですね。

鎌　田　でも、われわれの社会がもっと大きな環境の変化に直面したときに、いままでどおりの聖地霊場が、果たしてこれまでのような力で機能するかどうかはわからない。そういう危機感も含めて、わたしは月に鳥居を建てることを一九八五年頃にムーンサルトプロジェクトと名づけて提案したのです。つまり、地球をご神体とし、お月さんを拝礼所として拝む。地球の聖地化、地球そのものがわたしたちの聖なるご神体であるということが全体として感じられないと、もうそれぞれの宗教の聖地だけでは駄目なんじゃないかという感覚がいまでもあるのです。

ハナムラ　それはおもしろいですね。ぼくもアポロ8号から撮影された地球の姿の写真によって、全人類にとって地球そのものが聖地となったのだと思っています。

鎌　田　いままでの伝統的な宗教文化は特定の聖地をつくってきたのだけれど、もっと根底的には、地球を含めて宇宙全体が交信によって聖なるものの発動を維持してきた。そういう存在感とか生命感のようなものがどこかにないと、聖地に依存しているだけになる。単にお参りするだけでは足りないのではないか。

巡礼も、四国遍路だけでは足りない。もっと大きい宇宙的な巡礼といった意識、スタンリー・キューブリックの『2001年宇宙の旅』や宮沢賢治の『銀河鉄道の夜』の旅のようなものが必要ですね。もっと宇宙的な旅を自分たちの体験の中に組み込めなければ、人類の未来はないのではないか。わたしがやっている東山修験道は、そのときにいままでの伝統の方式が手がかりにはなることを教えてくれる。だけど、それを一歩も二歩も脱皮するというか、進化させる時期にきている。

ハナムラ　まったく同感です。地球を外からまなざしたわれわれは、自覚的に、自分たちの生存環境であるこの大きな聖地を全員でデザインする方法を模索していかねばならないのではないかと思います。

アポロ８号から見た地球の出

鎌　田　わたしがランドスケープや生態学や農学や生命科学を学んできたハナムラさんと会ってこういう話をするのも、そういう閉塞した時代の突破口を探したいと思っているからです。わたしは主に宗教から見てきたけれども、人間の生存環境からその危機を見てきたハナムラさんは、危機感を持ちながら、その先の人類の未来をどうイメージしているのか、それを踏まえて聖地や人間の変容といった問題を語り合う意義がいまあるのではないかと思ったからですね。うれしいことに、その予感は正しかったですね。

## 物質とエネルギーと意識の転換点

ハナムラ　ぼくも関心があるのは、原初的な聖地として選定された場所です。本当の聖地というのは遥拝所《ようはいじょ》ではなく、もっと奥にあるものですね。たとえば室生寺《むろうじ》があって、室生寺の奥に室生龍穴神社があって、さらに室生龍穴神社の奥に室生龍穴がある。あそこが本体ではないかとぼくは思っています。

鎌　田　洞窟ですね。

ハナムラ　あの場所に不用意に人を近づけてはいけないから、手前に遥拝所をつくり、さらにもっと手前にも遥拝所をつくって、民衆の祈りを受け止める場所にした。そういう意味でいうと、本当の聖地というのは政治的にも隠されているだろうし、山奥などにあり、物理的にも簡単にアクセスできないところにあると思うんです。それは地球生態学的に地球における特殊な場所ではないかということなんです。

鎌　田　ある種の特異点。

ハナムラ　ええ、まさに特異点だと思います。そういうところは、おそらく物質とエネルギーとの転換点になっているのではないかという自分なりの仮説を数年前から持っています。つまり、地球の内部のエネルギーとか、宇宙からのエネルギーとか、水の循環のエネルギーとか、そういうものが物質に転換する場所。エネルギーというのは常に満ちているんですけど、そうしたエネルギーが違う形態として現れる特殊な場所。

たとえば、洞窟とか、地面から水が湧いてくるところ、あるいは雲がかかって雨が落ちてくるところ、そうした場所が聖地には多いのですが、これまで見えなかった潜在的なエネルギーが集まってきて見えるように現れる場所だと思います。

マグマの力が高まってきて特殊な地形が生まれる場所。湯殿山《ゆどのさん》の本体みたいに、お湯がこんこんと湧いてくる岩がある場所などは、いままで見えなかったエネルギーが見えるカタチになる場所、つまりエネルギーが物質的な風景になるところですね。

鎌　田　それが「ちはやぶる神」です。

ハナムラ　そうですね。そうしたエネルギーの転換点が原初的な聖地となっていくという話だと思います。そうした場所に、さっきおっしゃったような、動物として感応するという感受性を人間は持っているのだと。さきほどのジェーン・グドールの話もそうですけど、その感受性を具えるのは人間だけではありません。あらゆる生命にとってそこが特殊なエネルギーが出ている場所だという実感がある。そういう場所が本当の意味での聖地、生物的な感受性で感じ取られた聖地だと思うんです。だから、サルであろうとシカであろうとイノシシであろうと、同じ場所に何か特殊なものを感じる。それに畏《おそ》れを感じるのか、心地よいものとして感じるのかは、そのときのコンディションにもよると思うんですけど。

いずれにしても、その特殊なポイントに感応していくところに生物の特性がある。聖地が生まれた初期段階は、そうした場所へのマーキングを人は意識的に行っていったのだと思います。

鎌田　デザインですね。

ハナムラ　それがまさに聖地のデザインの原初的なものだと思うんです。しめ縄を巻く。あるいは岩を積む。四周を囲ってひもろぎ空間をつくる。こうした土地の見立てが、ランドスケープデザインの原点にある行為だと思っています。

鎌田　聖デザインですね。

ハナムラ　場所を意識の上で聖化するためのデザインなんです。それは拝殿とか教会などをつくることに本質があるわけではない。その場所自体を「ここですよ」ということでマーキングする行為が最初だと思うんです。それがもうちょっと進んでいくと、構造物をつくったりする。

鎌　田　神殿建築物。

ハナムラ　つまり、聖別していたことが、しだいに様式に変わっていったと思うんです。その様式に次第に意味づけがされていって、果ては意味だけが走っていくようになる。そして付け足された意味が情報として流通すると、場所自体に力がなくてもそこが聖地として認識される。今度はそれが都市の中にも移転され、崇拝される空間になってくる。それは政治的に利用されたり、宗教化したりすると形骸化していくのだろうと思っています。さきほど言われていた共産党の聖地とか何々の聖地などを含めて。

鎌　田　『冬ソナ』（二〇〇二年、韓国で放送されたテレビドラマ『冬のソナタ』。日本でも放送され、大きな反響をよんだ）の聖地とか『君の名は』（二〇一六年に公開された新海誠監督の長編アニメーション映画）の聖地とかね。

ハナムラ　観光のほうでいうと、最近は「聖地巡礼」というと宗教的聖地よりアニメの舞台の聖地巡礼を指しているんです。観光学でもそういう認識がスタンダードになっていて、宗教的な聖地巡礼との連続の中で論じられがちです。インターネットでも検索で「聖地巡礼」と入れたら、ほとんどアニメや映画の聖地巡礼ばかりが出てくる。

　これは何かと言うと、生物学的な感応ではなくて、意味だけで聖別された場所だと思うんです。つまり意識とか想像力とか、意味づけによって生まれてくる特殊な場所ですね。昔、ランドスケープデザインの実験的な試みとして、特殊なうわさとか場所の〝いわれ〟を勝手に捏造《ねつぞう》するだけで、何でもない場所が特殊な場所になるのだろうかという実験を仲間たちとしたことがあるんです。パチンコ屋の装飾として置いてある女神像の足を撫でるとご利益《りやく》があるという〝いわれ〟を流通させることで、本当に撫でていく人がいました。意味の付与によって何でもない場所が聖地になり得る可能性があります。

鎌　田　なり得ますよね。

ハナムラ　なり得ると思う。勝手にうわさ、伝説をつくって、そこが聖地化していく。これもアニメの聖地に非常に近いんです。『らき☆すた』（美水かがみの4コマ漫画作品『らき☆すた』を原作としたテレビアニメ作品。二〇〇七年放送）っていうアニメでオープニングに描かれた神社の鳥居がオタクたちの目に留まって、「あれはどこだ」となって探されて話題になりました。そのモデルとなった埼玉県の鷲宮神社では「らき☆すた神輿《みこし》」とか絵馬まで登場するような文化を生んだ。

鎌　田　新しい祭りまで出てきた。

ハナムラ　そうなのです。つまり、新たな想像力が付加されることによって、何でもなかった場所が特殊なポイントに変わる。これはぼくが言っている風景異化の手法の一つですが、それ自体はさきほど話した地球生態学的な話ではないんですね。

鎌　田　人間工学的な話ですね。

ハナムラ　認知科学的な話とも言えます。つまり、人間の想像力や人間の持つ意識や心の力が

サウジアラビアのカアバ神殿

場所の見方に大きな影響力を持ちます。

　そこで次の議論のポイントになるのが、ぼくも非常に関心があるのですが、「意味」から場所への影響はありうるのかという点です。つまり、人間が祈り続ける場所とか、人間が特殊な意識を持ち続ける場所は、地球生態学的に特殊な場所になっていくのだろうかという疑問です。たとえば、サウジアラビアにあるイスラームのカアバ神殿みたいなところです。みんなが何百年、何千年と祈り続けている場所は、その場所の磁場とか、地形とか、水脈とか、気象といったことにまで、果たして影響を及ぼすのかということです。

　つまり、人間の心理状態が物理状態に影響するのだろうかという問いが生まれてくる。人間が祈り続け、人間の生命力が集積していくと場所は特殊化していくのだろうかという疑問がずっとくすぶっています。もしそれがありうるとしたら、ずっと共産党員が祈り続けていると、そこが共産党の聖地としてだけでなく、何か生命的な感応が生まれる特殊な場所になってくるのかもしれない。甲子園なども高校球児たちの聖地になっていると思うのですけれど、ああいう場所が、今後、地球的に意味を持つ場所になっていくのかどうかという問いがあります。

## 危険が透明化した都市

ハナムラ　それはとりあえず問いのまま置いておきたいのですけれども、さっきおっしゃっていた話でおもしろいなと思ったのが、安定、安心の話です。裸のサルというのは、そういう意味でいうと本当にひ弱で、人間は自然の中で生きていくには、「いと小さき者」なわけです。

鎌　田　道具がなければ最大にひ弱です。

ハナムラ　そうなのです、ひ弱なんですよ。そこで、いかにして安心感を得ていくのかということが大きな課題になってきます。動物たちは服を着なくてもいい。自分が裸で自然の中にいるという自覚はないわけですね、たぶん。人間は自意識を持ってしまって、この環境の中で、自分がいかにか弱い存在であるかということを知ってしまったのですよね。

　だから、安心、安全を切望するという精神性を持っている。それが、ぼくは衣服の原点だと思うし、建築の原点だと思う。さっきの洞窟の話もそうです。ぼくは衣服というのはある種の建築だと思っています。本当は暑かったら服を着なくてもいいのですけど、包まれていたら何か安心する。襞《ひだ》のようなものですよね。洞窟も襞のようなものだし、建築も襞のようなものだし、何かに囲まれ、包まれて生きていくということが、ある種の安全感とか安心感を生み出す。むき出しではない状態をつくる。

　人間はそうした自分を覆うものを求めて、文明を発達させてきた。とくに狩猟民族から農耕民族に移って、定住生活をしなければならなくなったときに、その場所から逃げられないわけです。だから自分の身体だけでなく、生活空間自体を守るものが何かしら必要になる。不安定な自然を生きる脆弱《ぜいじゃく》な人間だから、安心、安全、安定を目指すことを切望して文明をつくってきたというふうに思っています。

　われわれはそうやって都市をつくってきたはずなんですが、いま都市は本当に安全な場所になっているのだろうかという問いが気になっています。

鎌　田　都市はもっとも地球環境的に不安定で、破壊的なものでもある。

ハナムラ　ぼくも都市がいま、人にとってもっとも不安定で危険な場所になっているんじゃないかと思うのです。いろいろな電波がたくさん飛び交っている。よくわからない電波や電磁波が携帯電話やマイクロウェーブからいっぱい出ていて、5Gなども始まり、食品にはどんどん添加物が入れられていて、人の損得感情と競争を煽る経済的な情報に満ちていて……。

鎌　田　最高にデンジャラスですよね。

ハナムラ　じつは都市はものすごく危険な場所になっているんじゃないか。それが、人間の生命に影響を及ぼしていて、人は鬱になったり、身心がおかしくなったりしている。だから理由もわからないまま本能的に聖地を求めたり、何かを浄化することを求める気持ちが高まっているんじゃないかと思うのです。

それは危険が透明化してきつつある中での防衛本能なのではないかと。いままでは、危険はすごくわかりやすいかたちで迫ってきた。災害のようなかたちであったり、飢餓や貧困のようなかたちであったり。でもいまは、ある程度表面上は満たされているように見えるこの都市においで、じつは危険が透明化している。そして、そのことに気づけないぐらい人間の感性が鈍っているんじゃないかという危険性を感じてしまいます。

鎌　田　放射能があってもわからないぐらいのものになっているよね。

ハナムラ　意識に上るレベルもそうなのですが、無意識に、どこかおかしい、不安だという気持ちがあるのだと思います。だから、非常に表面的なかたちかもしれませんが、いわゆるパワースポットブームのようなものにつながるのではないかと思っています。単にブームということだけではなく、つかみどころのない不安の中で、人間として、生命として回復していくため

スペイン・モンセラットののこぎり山と修道院

の場所であったり、モノであったり、装置であったりを切望しているんじゃないかと。
　そういう文脈において、聖地をいかにしてつくっていくかというぼくの問いが位置づいています。あるいは聖地の代わりになるようなもの、それがたとえ人工的につくられたものであっても、いわゆる安全性、安定性を担保するような精神的な装置をいかにデザインしていくかは、現代の大きな課題になるのかもしれないと思っているのです。
　ぼくは自分がランドスケープデザインをやっているからかもしれませんが、もう一度基本に立ち戻ると、かつては風景そのものが信仰の対象になっていたんじゃないかなと思うのです。聖地地形という言い方もしますが、ある地形であったり、聖なるカタチが信仰されていた。

　来週からぼくはバルセロナに住むことになりますけれど（二〇一七年三月―一八年三月）、バルセロナの北、五十―六十キロぐらい行ったところにモンセラットという場所があります。モンセラットとはのこぎり山という意味なのですけれど、山のかたちがのこぎりみたいにぎざぎざに尖った場所なのです。のこぎりみたいな山に囲まれた中にカトリックの修道院がポツンとある。ここの起源をちゃんと調べたわけじゃないのですけど、おそらく最初にあの特殊な風景が信仰の対象になっていたはずなのです。

　地球内部からのエネルギーが生んだあの特殊な地形に、ただならぬ気配を感じたその土地の人々がその地形を信仰した。そこにあとからキリスト教がうまく接続したのだろうと思います。新しく入ってきた宗教というのは、元々あった宗教に接続されるかたちで根づくと思うのです。日本に入ってきた仏教も神道に接続される。モンセラットの大聖堂には黒いマリア像がありますが、黒いマリア像信仰というのがこのあたりではあちこちに見られます。おそらく、黒いマリア像の前に大地母神の信仰があって、そのローカルな大地母神にマリア像信仰をかぶせたのでしょう。

　そうやって、後から接続された意味の部分が次第に拡大していくのですけど、もっと原初的なところに戻ると、おそらく自然の地形のチカラであったり、ランドスケープが信仰の対象になっていた。さっきおっしゃっていた巨石、巨木、あるいは特殊な地形とか火山とか、湯殿山みたいなところですね。それはもう意味などではなく、生物学的に感応してしまうような特殊な地形や特殊な風景というものがある。

鎌　田　まさに地球生態学ですね。

## 地球全体をデザインする

ハナムラ　そんな地球スケールの生態学へと視野を広げていくべき時期が再びきています。それはすでに一九六八年のアポロ８号のときに提示されたのだと思うのです。さっきおっしゃっていた、月から見た地球の写真が共有された瞬間というのは、バックミンスター・フラーが唱えたように、ぼくらは全員この宇宙船地球号の中にいて、そこで生きているんだという意識を得た瞬間だった。そのときには地球全体が宇宙空間の中で聖地に見えたはずです。

ローカルの聖地はこれまですごく意味を持っていたけれど、この地球時代にいまやわれわれは一つの共同体であるということを意識させられている。だから二十一世紀では、こうした地球全体のバランスをどうやって整えていくのかということが、ものすごく重要な課題になってくるんじゃないかと、そう思うのです。

そういうことを考えると、生命と調和する場を考えてきたランドスケープデザインから貢献できることがたくさんあるのだろうと思います。これまで取り組んできた、都市の中のアメニティを高めていくとか、都市の機能を高めていくというスケールを超えて、局所的ではなく、より全体的で大きなところにデザインを拡大して踏み出していく必要があるんじゃないか。いわば地球全体のデザインをしていくというスケール。そのためのロジック、表現と人間の意識とは無関係ではないと思います。

それは、いままでの、木を植えたり、芝を育てたり、道をつくったり、そういう物理的なボキャブラリーだけではない。聖地が普遍的に持っている、あるいは人間が聖性を感じる普遍的なコードやエレメントですね。たとえば、光とか、暗がりとか、静けさとか、振動とか、あるいは恐ろしさとか、エネルギーの変化とか。そういう、人が生命として聖なるものに感応する普遍的なコードが重要だと思っていて、これから先、それを見定めながら研究や表現をしたいと思っているのです。

ですから、その場所や空間がどういうふうに人間にその意識をもたらすのか。その意識はどうなれば収斂されて整っていくのか。そうした人の中の生命の矛盾をどうすれば乗り越えられるのか。答えを探すためのヒントをずっと探しているというのが、いまのぼくの鎌田先生への応答になります。

鎌　田　いまのお話の最後のところを取っかかりにして考えてみたいのですけど、デザインできるものの基本の一つは光だと思うのです。

ハナムラ　そうですね、ぼくもそれには思うところがあります。

鎌　田　ぼくは蛍光灯が本当に嫌いなのね。

ハナムラ　とてもよくわかります。

鎌　田　なぜ嫌いかというと、影ができないから。もちろん光だから影はできるんだけど、蛍光灯はすべてを明るみに出すような人工的な光なのですよ。だから、陰影を生み出せないようなフラットな光なのです。

　ところが、光をスポット化すると、まだらの状態が生み出せるじゃないですか。まさに自然の地形は、大きく見れば山あり谷あり、森林があり、フラットじゃないのですね。もちろん大平原みたいなのもありますが、元々は原生林に囲まれていたので、もう少し複雑だったわけです。それを人間が伐り倒して田畑にしたために森林がなくなっていき、起伏のようなものがどんどんけずられて、平らになっていったわけです。文明社会というのはフラットにしていく方向にある。

ハナムラ　そうですね、物理的にも意味的にも表面上、フラットにしていく。

鎌　田　そして、空間として陰影を感じさせるのは光ですね。観光のために夜にライトアップすることが非常に増えてきましたけれども、わたしは人間のものの見方を転換してくれるものは、ライトアップも含めて照明だと思うのです。

光と闇の関係を空間装置としてどういうふうにして転換させられるか。朝になったら闇が暁《あかつき》になり、光の世界になって、昼はいちばん光が強くなって、また夕暮れになるという自然の循環がある。そういう自然の循環に馴らされると、われわれはそれに何の驚きも感じなくなる。

だけど、たとえば隕石が落ちて、ちりが空間にまき散らされたり、あるいは火山が噴火して暗雲に覆われたり、雷が鳴ったりすると、見る見るうちに異変が起こる。昼の十二時であっても、闇のような状態になる。日食ももちろんそうですね。そういう非日常的に起こることを経験すれば、われわれの意識は、自然が持っている大きな力を感受できるわけです。わたしたちは光を使って、われわれの空間感覚に揺らぎ、揺れを惹き起こして、本来持っていた自然の力を喚起させる、そういうことは可能だと思うのです。

もう一つは、祈りが祈りたりうるためには、内的平静というか、静けさは絶対に必要です。わたしは、聖なるものは静かだと思っているのです。比叡山に行くと、比叡山はやっぱり静かですよ。自然が発する微細な物音、木が鳴るちょっとした音、鳥の鳴き声が非常に鮮明に聞こえます。これを脳科学的に計測した大橋力《つとむ》さんは、熱帯雨林の音の量と渋谷のスクランブル交差点の音の量とを比較した。スクランブル交差点の音の量は五十デシベルでしたか、ともかくかなりの騒音なのです。ふつうだと、すごく不快で、心が不安定になるような騒音として受け止められる。ところが、熱帯雨林の森林は、それ以上の七十デシベルを優に越える音量であるにもかかわらず、そこに行ったときに、すごく気持ちよくリラックスできて安心し、それを楽しめるというか、味わうことができる。「閑《しづけ》さや岩にしみ入る蝉の声」ではないですけれども、ものすごく鳴いているはずなのに静かに感じる、といったような。

　それは自然の陰影で、さきほど言った起伏なのですね。自然が持つ地形というのは波打っているのですが、その波打っている状態のままにそれが感受できた場合、一つ一つの微細な動きがわたしたちの細胞の一つ一つを開いていくような力を持っている。

　ですから熱帯雨林は、そのマックスがガーっとくる圧力じゃなくて、分散された微細なマッサージのようなかたちで、一つ一つがわれわれに振動として伝わってくる。ハイパーソニックなサウンド振動なのです。だから、その振動、響きも一つ一つが生きているのですよ。

　そういうふうに感受できたとき、われわれの生命感は開いていく。そういうものをデザインすることに擬似的には可能性はあると思います。では、どうすればそれができるか。

ハナムラ　ぼくがまさにずっと気になっているのは、そうした「振動」なので、いまの話はすごく共感できます。光も波動ですから。ぼくらが見ているものは、すべて目に飛び込んでくる光です。物に反射した光の波動がすべて目にいっしょに入ってきて、網膜の後ろに映ったものを脳神経が選別しているだけなのです。

　いまの静けさの話も非常に共通する部分があり、ぼくも光と静けさがポイントだと思いますが、もう一つの要素として、囲まれ感があるのではないかと思うのです。囲まれ感というのは触覚で感受できる領域です。ここから壁までの距離とか。

鎌田　衣服もそうですね。

ハナムラ　衣服はわれわれをもっとも近くで囲むものですね。この身体から壁までの空間に満ちている空気はどういう状態か。その湿度や温度はどういう状態か。そういう質感が非常に重要ですが、いまの空間デザインの手法ではそんなことはほとんど教わらないことかもしれません。物理的な構造物ではない空気の要素は後回しにされがちです。こういうふわっとした空間条件というか、目に見えない条件はほとんど設計の対象にならないのです。

## 調和と平和と美、「ホジョナー」

ハナムラ　さっきの音のデシベルの話でおもしろいなと思うのは、渋谷のほうが音が小さくて、熱帯雨林のほうが音が大きいのに、熱帯雨林のほうがなぜ静かに感じるのかという点です。ぼくはそのときにポイントになるのは、波長やリズムが調和しているかどうかなのではないかと思うのです。熱帯雨林では一つ一つの音は大きかったとしても、ある秩序に沿った音なのではないか。だからたぶん調和しているんですね。自然の法則がそうした秩序の全体性を担保しているんですけど、町の中というのはばらばらのリズムが単に集まっているだけなのですよ。

だから都市では不調和のリズムの中に人間がいる。つまり、波動でいうとちゃんとしたきれいな関数の波動になっていない。バラバラのリズムが一気にやってくる都市に対して、熱帯雨林はリズムが同期した状態でくる。その違いによるのではないかと思うのです。だから、やっぱりポイントはリズムや波なのですね。視覚的な風景の場合も、光を見ているので、同じようなに波動やそのリズムの問題だと思うのです。そうした調和をどうやってつくっていくのかが重要になるでしょう。

さきほど話したように、ぼくは日々の生活の中で瞑想の時間を持つのですけれども、瞑想も同じように、細胞がてんでんばらばらに動いているのを意識によって調和させていく効果があるのではないかと思います。からだの中に順番に意識を巡らせていくことで、ばらばらだったリズムを同期させていく。外からの刺激によって身体にさまざまな不調和が起こり、それが病気を起こすのであれば、調和すると体調が整うのは当たり前のことだと思います。

身体の不調和と同じように、いまの文明のリズムと、自然の持っているリズムとがものすごく不調和になっていると思っています。アニミズムの時代とか原始的な社会とか、人類史の大半は、自然のリズムと人間の生活のリズムや文明のリズムとがうまく同期していたと思うのです。朝に日が昇れば起きて、日が沈めば寝る。そういう太陽のリズムと人間の生活のリズムとが同期している。さらに言うと、人間のリズムの中でも、行動のリズムと胃腸の動きのリズムであったり、脳波のリズム、心臓の鼓動のリズムなどが全部調和して無理なく一体的に動いている。本能的に動く動物は、おそらくそうやって調和して動いていると思うのです。しかし、自然に対して支配的になってきた人間は、文明を主として、自然を従とする構造へ急速にシフトし、人間だけのリズムをつくり始めた。その結果をいま受け取っているのだと思います。

人間の中だけで同期したリズムが——それも調和していないと思うのですけど——、自然のリズムからどんどん乖離していって、「二十四時間都市」のようなものになる。二十四時間こうこうと照らされていて、コンビニも二十四時間開いていて、人は寝ずにはたらくみたいな状態。さまざまな周波数帯の電波が飛び交い、見えない部分でいろいろな不調和が生まれている。でも、表面上は不調和が起こっているようには見えず、調和しているような格好を装っている。

ところが、もうその不調和が明らかに見えるかたちになって、しかもものすごいゆがみとして表面に出始めているんじゃないかと思います。だから、そういう人間社会や文明が持っているリズムと、自然のリズムとをちゃんと合わせていくような方向へデザインの舵を切らないと、いよいよ乗り切れないギリギリのところまできているのではないかと思っています。

いま、人間のこの文明は便利にはなったけど、とっても不自然です。それをうまく自然との調和の方向に持っていくためには、ある種の便利さを失い、痛みを伴うかもしれない。でも、さっきのメタノイアの話じゃないですけど、どこかでショック療法のようなものが必要なのではないかとも思っています。いまのぼくらの生活は自然のリズムと調和していないことを、一人一人が気づいて別の道を本気で歩み始めないといけないと思うのです。

だから本当にデザインすべき対象はぼくら自身のまなざしや意識であり、すべての人間が、他者に優しく、自然に優しく、そして調和を目指す意識を持ったとき、地球は安全な場所に変わっていく方向へようやく歩めるような気がしています。ひょっとするとそれが、さっきの人間が祈り続ける場所が特殊化していくという話とどこかでつながってくるのかもしれません。

このような話は、これまでの科学では解明できないことなのかもしれません。しかしそれにしてもいま、いろいろなことがおかしなことになっていて、感覚的に自然との調和が必要だと強く思うのは一部の人ではなくなっているのですよね。そのためにはまず、ぼくら全員の集合的な意識の話をすることが大切だと思っています。

鎌　田　「調和」がキーワードですね。わたしもそうだと思います。でも、調和というのもなかなか難しいところがあって、調和と不調和の関係も変化する要素がある。調和を考えていくときに大事なこととして、わたしは二つを例に挙げたい。

大重《おおしげ》潤一郎さんのドキュメンタリー映画に『ビッグマウンテンへの道』(二〇〇一年制作)という六十分ほどの作品がある。アメリカ先住民のホピ族とナバホ族の聖地ビッグマウンテンを守るおばあちゃんと、彼女を支援する若者たちの記録映画です。ビッグマウンテンからウラン鉱や金属資源がたくさん出てくるので、アメリカ政府や企業は先住民を強制的に追い出して、別の居住地に押し込め、そこを開発したいわけです。掘削して産業にしたい。

ところが、自分たちが聖地として大事に伝えてきたものだから、先住民のおばあちゃんはそこに居座り続けて、強制移住を拒否し、そのような政策や方向性に反対しているのです。数少ないおばあちゃんたちががんばっていて、それを支援するためのドキュメントを大重さんが二〇〇〇年に撮影したのです。いまでもその聖地は維持されている。

その『ビッグマウンテンへの道』の最後は、ナバホ族の言葉で結ばれる。「ホジョナー！」というナバホ族の一言を叫んでその映画は終わるのですが、「ホジョナー」という言葉は、三つの意味を持っています。一つは調和、もう一つは平和、そして美です。ハーモニーとピースとビューティーが、ホジョナーという一語の中にある。

わたしは、そういう力を持っている調和でなければ、力にはなり得ないと思う。それは人々を本当に深く安心させる力ですね。平和というのはそういうものです。あなたはあなたのままでそこに生きていられる、それをもたらすのが平和だと思うのです。

そのときにその人が自分を肯定できるのは、自分の美しさというか、自分の尊厳も含めて価値を等身大で実感できることなのですね。自然の動物は、自然に生きているときは毅然としています。ところが、人間が飼い馴らしてしまうと、人間を上目遣いで見るような感じになるので、ペットのような生き物をわたしは好きではないのです。

自然の動物は、自然の中にいてこそ毅然とした美しさがある。でも、りりしさ、いさぎよさ、そういう自然の美しさは、人間にもあると思うのです。自然の振舞いの中に、その人らしい自然性が出てきたときに、その人の美が現れる。

column

# 大重潤一郎――人と仕事

鎌田東二

大重潤一郎は、昭和二十一（一九四六）年三月九日に、鹿児島県南端の港町の坊津を出自とする海民の末裔として、鹿児島市天保山で生まれた。甲南高校と国分高校で学んだ後、岩波映画に入り、昭和四十五（一九七〇）年に劇映画『黒神』でデビュー。黒木和夫監督に「十年早い傑作」と称された。続いて、大阪府能勢町のミサイル基地建設の反対運動を記録した『能勢――能勢ナイキ反対住民連絡会議』（一九七二年）、『水の心』（一九九一年）、『光りの島』（一九九五年）、『風の島』（一九九六年）、『小川プロ訪問記』『原郷ニライカナイへ――比嘉康夫の魂』『縄文』（二〇〇〇年）、『ビックマウンテンへの道』（二〇〇一年）、『久高オデッセイ第一部　結章』（二〇〇六年）、『久高オデッセイ第二部　生章』（二〇〇九年）、『久高オデッセイ第三部　風章』（遺作、二〇一五年）など、自然と人間と文明との葛藤と調和への希求を描く記録映画を発表し続け、平成二十七（二〇一五）年七月二十二日に癌により死去した。大重は遺作となった『久高オデッセイ第三部　風章』まで、一貫して大自然の中で慎ましくも逞しく、けなげに生き抜いていくいのちの輝きと祈りと祭りとエロスとを描き続けた。

「気配の魔術師」大重の映像のエロティシズムは澄明で永遠性を感じさせるリリシズムを横溢させている。大重は「オデッセイ」という叙事詩を謳う吟遊詩人であり、映像の詩人であった。「久高オデッセイ」三部作は、「神の島」と呼ばれてきた久高島（沖縄県南城市）の祭祀（祈り）と暮らし（漁労・農耕など）を島の自然風土の中で繊細丁寧に十二年にわたってドキュメントしたもので、大重映画の到達点であり集大成である。その映像詩は一九九五年の阪神・淡路大震災の被災経験で深められ、特に『光りの島』と「久高オデッセイ」三部作は大重の死生観を全力投入した作品となっている。

仏教の修行も、人間がつくったごてごてしたものを取り除いて、その人その人の持つ素《す》の自然美みたいなものに立ち返っていくものです。それは無心に近い。あるいは、日本人が言う自然体に近いと思うのです。無理せずに、その人が虚心に生きられるような状態ですね。自我の意識に取り巻かれて防護したり、プロテクトしたりするんじゃなくて。

そこには、やっぱり自然とその人との調和が生まれていると思うのです。あるいは、関係の調和が。そういう美と平和と調和という三つの要素を持ったハーモニーをデザインすることができるならば——身心変容技法もそのデザインの一つですが——非常に意味があると思うのです。

## 美意識を持って生きる

鎌田　もう一つ、わたしはよく引用するのですが、ライアル・ワトソンが『アースワークス——大地のいとなみ』（邦訳は、ちくま学芸文庫、一九八九年）という本を出しています。この生物学者のさまざまな発言は、ジェーン・グドールもそうだけれど、非常に意味が深く、考えさせられるものがたくさんある。

ライアル・ワトソンは『アースワークス』で、人間が維持してきた聖地というものには宇宙的な調和があって、そこで思う存分に眠り、夢を見ることができると言っている。訳文を正確に引用しておくと、「われわれには、本質的な調和ともいうべきものについての意識と希求があるらしいのだ」、「われわれはみな、本質的に大地のことを身体で知っていて、この天与の智慧を表現するゆとりさえ与えられれば、この惑星上でもとりわけ調和がとれている場所の方へと苦もなく、しかも抗いがたく、流れてゆくものらしい。／そういうところでこそ、心安らかにくつろぎ、眠ることができる。そこでこそ、思うままに夢を見、より偉大なるものに連なる喜びを味わうことができる」（内田美恵訳）というのです。そのような宇宙的な調和のある場所が聖地となって、神殿や寺院ができたりして、儀礼や夢見の方法や瞑想法が伝えられていった。わたしは彼の生物学者としてのまなざしから見た聖地論や大地や地球の力への感応力は、宗教学から見ても正しいと思う。

動物として、生物として、人間として、思う存分に眠り、深い深い欲望に取り巻かれた夢じゃなくて、この世の根源や、自然の根源の神聖エネルギーと交流するような夢を存分に見ることができれば、生きる活力というか、よみがえりがあるわけですよね。

そういう宇宙的な調和を感受させられるところが聖地なのだと思います。ネイティブアメリカンの「ホジョナー」が醸し出される特異なスポットであるビッグマウンテン、それからライアル・ワトソンが言う宇宙的な調和がもたらされてくる空間、そういうところを人間は大切にしてきた。

そういう感覚をなくしてしまうと、われわれ自身の全体も間違いなく破局的なものへと向かう。そうしたらそれは、自然の側から――自然の逆襲ではない、自然は復讐しているわけじゃないから――元に戻るための循環が惹き起こされる。おのずと身震いをして元の状態に戻そうとするときに、人類はふるい落とされて破滅するかもしれませんね。

ハナムラ　まったくおっしゃるとおりだと思います。われわれはまぎれもなく身体も心も自然の一部ですから、自然との調和の中に入らねば、個人の中での調和もあり得ないと思うのです。そして地球を一つの生命体として見たときに、身体における経絡《けいらく》のツボのような位置にあるのが聖地なので、そうした場所がより大きな調和を保つように適切に扱うデザインが、地球の医学へとつながっていくように思います。

ぼくはさっき自分のパーソナルヒストリーに触れたとき、言い忘れたことがあります。十代の後半ぐらいのときに、ネイティブアメリカンの持っている思想にものすごく郷愁を覚えたことがあります。初めて出会うはずなのに、なぜか思想的にすごく懐かしい感じがするっていうか。それでやっぱり正しいんだよなって納得したことがあった。だから、いまのホジョナーの話はとてもいい話だなと思いました。

さっき認知革命の話をちょっとしましたけれども、人間は約七万年前に自然の中で自分が見られているとか、自分が見ているということに気づいてしまったのですね。動物にも自分が見られているという意識はありますが、人間にはより強い自意識が芽生えてしまったわけです。

つまり、誰か人のまなざしを意識してしまう。そのまなざしの中で振舞いを調整し、相手のまなざしに同期してしまう自分がいる。人目がかなりストレスになって、毅然とした態度をとれなくなってしまうところもある。本来は人が見ていようと見ていまいと、正しいことをしているのであれば毅然と振る舞えるはずなんです。

そうした自分の中にある見えないまなざしを担保していたのが、おそらく宗教の倫理観であったり、神や超自然的存在という補助線だったのではないかと思います。自分は目に見えない大きな自然法則に準じていて、大きな調和の中にいるという感覚が、人のまなざしのないところで振舞いの正しさを担保するように思います。

鎌　田　神さまは見ているぞ、みたいなね。

ハナムラ　まさにおてんとさまは見ているぞっていう感覚です。それに恥じないように行動する美学が必要だと思いますし、見えないところに気を配る「粋《いき》」の感覚にも通じる。しかし人が見ていようと見ていまいと、誰かが評価しようと評価しまいと、自分は正しいことにしたがいたいという感覚は、いまものすごく薄れてきているように思います。人が見ていないと悪いことをやってもいいという感覚だけでなく、よいことも人のまなざしの前だけで行うことで評価を得ようとする考えが、メディア社会で蔓延しているように思います。

でも、本当に重要な道徳であったり、倫理観であったりするものは、自分が自分に向けるまなざしであるはずなのです。本当はそのまなざしにしたがって生きていると、人は美しく生きられるはずだと思うのです。自分は正しいことに寄り添っていて、何も恥ずべきことはないという精神を持つことで毅然として生きられるはずだと思うのです。
その美意識を——自意識ではなく。自意識というのは、外からどう見られるか、自分へのまなざしに応答することですから——育てていくことは、芸術が果たす使命の一つかもしれないと最近は思っています。
さきほどおっしゃったライアル・ワトソンも生命の美学という観点から、自然と人間との関係をどうやって結び直すのかを再定義しようとしたと、ぼくは思っています。有名な生物学者デズモンド・モリスの弟子ということも関係して反発されたのかもしれませんが、ライアル・ワトソンの研究が丸ごとオカルト扱いされてしまうのは、とても残念だと思います。
鎌田　いや、ライアル・ワトソンはまっとうですよ。
ハナムラ　ぼくもすごくまっとうだと思っています。でも、一方で中身を吟味せずにオカルトだと批判する人もまだまだたくさんいることも知っています。ていねいに彼の研究の中身を見ていけば、二十一世紀に再評価されてくると思うのですが。

# 第6章

# 生命のリズム

## †両極を行き来して進む

## 安全な聖地・危険な聖地

ハナムラ　よく眠ることができるのは、人のまなざしがない状態ですよね。一方でお母さんとか、自分を抱擁してくれる人が見ているそばではよく眠ることができます。

鎌　田　安心できるからよく眠れますね。

ハナムラ　監視の下では眠れない。

鎌　田　緊張しているので、すぐ目が覚めちゃう。

ハナムラ　すぐ目が覚める。あれは不思議ですよね。敵意のまなざしとか。

鎌　田　安心、安全じゃないから。

ハナムラ　聖地は眠りと関係している。『ピクニックatハンギング・ロック』（ピーター・ウィアー監督、一九七五年）というオーストラリアの映画ですが、ハンギング・ロックという大きな岩の聖地で意識を失って眠り込む少女の描写がありました。古代ギリシャのデルフォイの神殿では夢に神託があると聞いたことがありますが、眠りに入って自我を失っている時間にメッセージが差し込まれる。いずれにせよ、聖地というのは眠るとか、夢とか無意識との関わりが大きい場所だと思うのです。

シュタイナーも、「眠っている間は身体からアストラル体（感情魂）が抜ける」と言っています。つまり夢を見ている時間というのは、身体から離れた心が何かを経験しているのであって、その間の無防備な身体には安全な場所が必要なのだと。

人のまなざしを意識せずに、安心感があるような場所が、眠ることのできる場所。だから、寝室ってすごく重要だし、究極的にいうと、住宅は安全に眠ることができるという機能がいちばん大切だと思うのです。それは洞窟でもいいし、母胎内でも同じですが。

鎌　田　安心してよく眠れる、安心して食べられる、この二つ。

ハナムラ　そうですね、二つですね。

鎌　田　それが最大の二つの幸福。

ハナムラ　眠ることは意識が身体に届かない状態です。だからその間に自分の身体が危険にさらされてしまうという恐怖感がないような状態、自我を失っても大丈夫な状態が担保されているのが聖地の一つのポイントだと思います。だから、もし聖地をデザインするなら、さっき話した三つ目の要素、囲われ感というか、自分が包まれて、守られ、外から外敵が入ってこないという状態を確保することが大事です。

寒くなくても眠るときには何か布をかけて安心感を得ようとしますよね。火事に遭ったり、遭難したりした人が救助隊員に助けられて毛布に包まれる光景をよく見ますよね。あれって決して寒いから布にくるんでいるんじゃないんだと思うのですね。何かに包まれている状態というのは安心感の一つの条件で、非常に重要だと思うのです。ダアッと全部開けているんじゃなくて……。

鎌　田　胎内のような状態ね。

ハナムラ　だから聖地には胎内の感覚が得られる場所がどこかにあるのだと思います。一方で、さっきの話で思い出したのですけど、修行者はなぜ山林修行をするのでしょうか。インドもそうかな。

鎌　田　インドもヒマラヤのあたりだとそうだし、森の中でも木で覆われていて、一種の衣服や洞窟の模擬形態になっているようなところで、修行しているんじゃないですか。

ハナムラ　基本はそういう安全な場所で坐るのですけど、修験道の山岳修行などを見ていると、千日回峰行などおよそ安全とは思えないようなことをやっているじゃないですか。

鎌　田　両方あるんです。あえて危険をおかすことで、生命力を活性化させる方法と、安全と安心によって緊張を解き、深いリラックス状態を生み出して、いのちの海に立ち還る方法と。

ハナムラ　そう。だから、不安定な生命を危険にさらすことで、その反発力で生命力が立ち上がってくるのと、一方で、囲まれて安心して坐って修行するのとの両方がある。これもダイナミックバランスというリズムですね。生命が修復する時間と、生命力を発動させる時間の両方が必要で、陰と陽の関係になっているのかなと思います。とくに都市の中とか住宅の中は安全に守ることを目指してつくられた場所だから、逆にそこに安寧を見いだしてしまうと、人間の生命力はどんどん弱っていく可能性がある。

鎌　田　それは難しいところであり、重要なところですね。

ハナムラ　そうです。だから生命力を解放するために、逆にわざと厳しいところに行って、滝に打たれ、細胞に「これはやばい、生きないといけないぞ」と思わせるような感覚を養っているのだと思います。

あえて危険に身をさらすことで、生命力が急激に立ち上がってきて、細胞分裂を繰り返し起こさせるような力を得る。そのために、町の中ではなく、山林で修行したのかなと考えています。

いま、ぼくが本当に危機感を覚えているのは、生命力の衰弱です。基本的に文明は、楽をするとか、安心する、安全であるということを追求してきたんですね。一方でその追求の果てに、自分のホメオスタシスが衰えていく。住宅のような場所をつくっても、空調などで環境を調整することで快適性を生み出す。そして体調が悪いとすぐに薬を飲む。だんだんそうやって自分を外部とプラグでつなぐようにして、生命力を全部外注するようになった。

カーナビが発達すると地図が読めなくなるように、文明の発達や道具の進化というのは、どこか人間そのものを退化させるのではないかと感じることがあるのです。そうすると人間の能力はどんどん低下していって、生命力は衰えていっているのですね。

これはすごく危険な状態だと思います。だから、むしろ身を危険にさらすことが一方で大事なのでしょうね。ただ、いきなりさらすと死んじゃうから訓練する必要がある。生命力を活性化させる訓練の入口にも、異化があるのではないかとぼくは考えています。いますでにあるものは当たり前のようにあると思っているけれど、じつはそれは当たり前ではなくて人間の文明が獲得してきたものなわけです。豊かになっていくと、生命力が下がっていく。

昔の生活では、水道の蛇口をひねれば簡単に水が出てきたわけではない。みんな大変な思いをして水くみをやっていた。でも、そうした生活で身体が鍛えられ、それで健康も保たれていた部分もあるのに、いまは身体が文明に飼い馴らされていくことによって、人間の生命力がどんどん低下しているという側面はあるのではないかと思います。

ひょっとすると高齢者の健康にもそれが当てはまるのかもしれない。おじいさん、おばあさんになっても、なるべくはたらいたほうがいい。田舎で農業している高齢者は身体を動かしているから元気だということも考えられると思うのです。なるべくしんどいことをせずに安全に過保護にしていくのは、逆に人間の生命力を奪っている側面があるんじゃないかと危惧することがあります。もちろんすべての人がそうだとは言えませんが。

いずれにせよ聖地は、危ない側面と安全な側面との両方を持っているからこそ、人間存在にとって非常に意味のある場所なのではないかと思います。

## 聖地にもジェンダーがある

鎌　田　聖地の危ない側面が人間の生命力をどう励起《れいき》していくことになるか。わたしが一九八〇年に初めて滝行をしたのは湯殿山なのです。滝湯に打たれてから湯殿山のご神体に登った。八月の末ですから夏ですが、最初には湯殿山の大滝に入ったときに、「ええっ、こんなに冷たいの！」っていうぐらいに冷たいのですよ。なぜかというと、湯殿山の上は月山《がっさん》で、月山は夏でも冠雪しているのです。夏山スキーができる。その雪解け水が谷間から落ちて流れ込んできているので、本当に冷たいのです。わたしはそこで生まれて初めて滝に打たれたとき、あまりの冷たさに本当に驚いた。すべての体の細胞も息遣いもびっくり仰天して一挙に変な状態になるぐらい。それが最初の滝行経験だったのです。

そのあと、絶壁のような岩をよじ登った。鉄ばしごが掛かっていて、それを登っていったら、上に湯殿山のご神体があった。そこに登って下に降りたら、巨大な岩に穴が開いていて、こんこんと湯が吹き上がっている。その温かみ。あの温かいところの真下に、あんなに冷たい滝があるのか。

滝行では本当に生命の危機にさらされた。もう、じっとしていられない、五分もいたら死んでしまうんじゃないかというぐらいに冷たい。滝行は初めてだったので余計です。そして、上に行ったら極楽のようなお湯があった。赤茶がかった巨岩なのですね。それを見たときはぶっ飛びましたけど。

胎蔵界曼荼羅《たいぞうかいまんだら》。まあ女陰のようなかたちにも見えますよね。そういう湯殿山を胎蔵界曼荼羅として、御宝前《ごほうぜん》として大事に拝んできた人たちの感覚。最初にここにきたときに、本当に驚いたのは、人たちの生命の高揚というか、そういう強烈な原初性というか、始源性を感じたことでした。那智の滝にもそういう原初感覚がある。われわれの根源的な野生の力を目覚めさせていくような何か。

いまわたしがやっている東山修験道は、なぜ修験道なのかというと、ただじっと坐っているだけでは、その感覚は得られない。なぜバク転をするかどうかもそれに関わるのですが、危険と隣り合わせでないと自我を手放すことができないのですよ。自我を手放さないと、リセットできない何かがある。自我に取り巻かれていると、自我の堂々巡りの中に入ってしまって、自分のヒューマンスケールの世界だけで生きていくことになる。

でも、本当に生命にとって重要なのは、自分の自我がつくり上げてきたヒューマンスケールを超えるものにアクセスできることです。自然とか宇宙とか、そういうところに至らないと、本当の意味での生命感の深い深層海流に乗れないのですね。そのための仕掛けや、思想や、いろいろな技法があると思うのです。

ハナムラ　ぼくはこの一年ずっとオーストラリア、欧州、インドと世界各地の聖地をフィールドワークしてきて、日本では熊野も行きましたし、淡路島、四国、北海道にも行ってきて思うことがあります。

さっきの安全に眠ることができるということと、かなり危険であるということとが両隣りにあるというのは、男性原理と女性原理のような気がしていて、優しい女性原理に包まれて安心に眠ることができる場所と、荒ぶる危険な男性原理の場所とがある。

だから、聖地にもジェンダーがあるんじゃないかと思っています。ものすごく安全な聖地と、生命を励起させてくれるような、ものすごく危険な聖地。それが、安全だと思っていると、急に危険な場所になったり、時間によって変わったりするのですけど、そのコントラストでも、ある種のジェンダーみたいなものがあるんじゃないかと考えています。

鎌田　ジェンダーがはっきりしている聖地は、四国遍路と吉野熊野周辺だと思います。吉野熊野周辺からいうと、吉野は金剛界なのです。峨々《がが》たる山で男性原理の世界です。女人禁制だし。あの起伏の多いところでのぞきをしたりして、あえて生命の危険に身をさらす。それは本当に恐ろしく、危険性がある。ところが、そこから熊野のほうへ入っていくと、熊野灘も開けてきて、山も円くなり、山の感じや森の感じも、本当に母胎のようです。そこで修験者たちはそれを熊野胎蔵界と位置づけた。

つまり、吉野金剛界と熊野胎蔵界があって、その二つが中和される融合点が天河大辨財天社《てんかわだいべんざいてんしゃ》なのです。天河は、「金胎不二《こんたいふに》・理智一体・男女冥会《なんにょみょうえ》・吉野熊野中宮」の霊地、男性性と女性性の二つの両極が引き合い融合される場所と、すでに中世の文献に出ているのです。ですから、陰陽が相和し、和合する場所として天河がある。女と男、陰と陽、胎蔵界と金剛界。あらゆる相反する両極性の調和点があって、天河はその融合のゼロポイントとされた。実際、琵琶山と呼ばれる天河大辨財天社の社殿のある丘の下には巨大な磐座《いわくら》があるのです。たぶんむき出しにしたら二十メートルぐらいあるんじゃないかなあ。その磐座の真ん中あたりに穴が開いていていて井戸になっていて、地下水につながっている。その上に天空の天の川が流れている。下の天の川は南の下流に流れ、やがて十津川や熊野川になっていくので、天河大辨財天社のすぐそばを流れる川は熊野三山へ流れていく川なのですよ。そういう絶妙な地形が天河。そこは地球の宇宙的調和点になっていて、全体から見ると、危険と安全の両方がやっぱりあるのです。

四国遍路の場合、『古事記』に遡っていうと、こんなふうに書かれています。伊予の二名の島、つまり、四国は身一つで面《おも》四つ。体は一つなんだけれど、顔が四つある。阿波は大宜都比売《おおげつひめ》。女性ですね。そしてオオゲツヒメですから食べ物。土佐は建依別《たけよりわけ》、たけだけしい力の荒ぶる男です。次に伊予は愛比売《えひめ》、やっぱり姫なのです。美しいまろやかな女性です。讃岐は飯依比古《いいよりひこ》。比古ですから男性です。

四国というのは、男女のジェンダーがはすかいに分布されていて、じつにうまくバランスがとれている。四国お遍路をするとき、そこに意味づけをするのです。吉野金剛界、熊野胎蔵界のようにね。それはどういうふうな意味づけかというと、最初、阿波《あわ》で発心《ほっしん》して、つまり悟りを求める菩提心を起こして、次に土佐で修行をする。修行をするときにはもっとも危険性がある。土佐の室戸岬から足摺岬までの旅路がいちばん危険です。道中長いし、太平洋の荒波に面したところです。その次は、愛媛県の伊予に入る。穏やかで、瀬戸内の美しいその地は、悟りの菩提の地。最後は、空海の伝えた真言密教ですので、涅槃《ねはん》の地とされる。讃岐の善通寺は弘法大師誕生の地なので、その讃岐、香川県が涅槃の地になっていくのです。こうして、発心、修行、菩提、涅槃というかたちで、男性性と女性性とをうまく塩梅《あんばい》調合して、お遍路さんの道を通して陰陽の陰影をうまくつけているのです。それは調和ある深い眠りでもあるし、深い自然との交わりも経験できるし、人間関係もいっそう深い自然なかたちに組み直すことができる。

ハナムラ　おもしろいですね。ジェンダーの話をしたのは、直観的でしたが、地形的、空間的なジェンダーと時間的なジェンダーがあるような気がしていたからです。いまの先生のお話は、空間がうまく時間に置き換えられているという話だと思います。四国のお遍路は、最初に発心から始まって、女性、男性、女性、男性という感じで回っていく。これは本当にダイナミックバランスの原点ですね。右に振れて、左に振れて、右に振れて、左に振れて、ずっとそうやってバランスをとりながら、男性原理と女性原理、陽と陰を行ったり来たりする。

これは一人の人間のライフステージでもたぶん同じだし、もっと拡大すると、文明のライフステージとか、文化、社会のライフステージでも同じで、成長して、成熟していくうちに、男性的な危険な時間にがんばらなければならないときもあれば、女性的な安全な時間もある。地球的な話でも生命的な話でも、その二極のダイナミックバランスで成り立っているという話なのかなと思いました。

鎌田　まさに、そういうふうにうまく生命バランスをとらないと、修行も完成しないのですよ。ただ坐っているだけではなく、リトリートなんかのときに歩くじゃないですか。坐る、歩く、そういうものをうまく組み合わせていかないといけない。

ハナムラ　おっしゃるとおりですね。

鎌田　男性性も女性性もそうで、荒ぶる力を一つ発動させても、荒ぶるだけでは秩序は生まれないのですね。何かを喚起させて、エネルギーに満ちあふれていても、それを一つの安定したかたちにするためには、静まりを待たなければならない。たとえば鎮魂という言葉も、魂振り的な荒ぶる力の発動と、魂鎮めのような、和御魂《にぎみたま》にしていく静寂のはたらきの両方があるわけです。

その両方がないと、身心のバランスも人間関係のバランスもうまくいかない。春夏秋冬もそうです。夏と冬は対極にあって、どちらもそれぞれ極であり、ピークですよね。でも、春と秋はおだやかで、それが女性性だとすれば、夏と冬は、男性のように極まりなく荒ぶってしまう。このへんの循環がある。

ハナムラ　ぼくもそうした両極を行ったり来たりするのが自然や生命の本質だと思っています。

筋トレなどでもそうですけど、おもいっきり筋トレした後には休まないと駄目なんですね。筋肉細胞を破壊して、それが修復するときに筋肉がついてくるということだと思うのです。

生物学的にいうと、骨芽細胞と破骨細胞もそうですね。片方は骨を壊していって、片方は骨をつくっていく。筋肉も壊さないと新しくできないのですが、休んでいる時間が非常に重要です。植物も同じで、冬がとても重要なのですね。暖かい季節だけじゃ駄目なのです。冬の寒いときを経験するから、暖かくなったら芽が出てくる。すべてそうやって、男性原理、女性原理、厳しい時間と落ち着いた優しい時間の繰り返しの中で生命活動は持続されていくと思うので、その両方のバランスが必要なのです。

だからずっと安心のほうばかりを追い求めるのはバランスを欠くことがあるのですね。危険を全部排除して、おいしいところだけ求めるような、都合のいい方向へテクノロジーは向きがちです。それがバランスを欠くことを非常に危惧しています。だから、いまの時代がどっちの方向を向いているのかということによって、そのときに出す答えとか、デザインするべきことは変わるように思います。いまがもし、安全の時代に入っているのだったら、逆に生命感を高めるようなことが必要だし、たけだけしいような荒ぶる時代であれば、逆に安心するようなことを追い求めないといけないし、バランスをとりにいかなければならないと思います。方向をちゃんと見極めないと、安全なように見えていてじつは危険な時代になっているのに気づかずに、逆を追い求めるかもしれない。

異化効果というのは、その時代その場所で当たり前の風景にわざと違和感を与えることで、自分たちがいま何を共有していて、どの方向を向いているのかをちゃんと確かめる意味があると思っています。それは当然、時代によって答えが違ってくるはずです。たとえば、ぼくの『霧はれて光きたる春』のように、病院の吹き抜け空間にシャボン玉を飛ばすことで異化効果を狙った作品でも、あれをずっと続けていると見馴れてしまって普通の風景になっていく。馴れると何も刺激がなくなり、異化ではなくなるわけです。だから異化が当たり前に同化すると、次はまったく違う答えを出さないといけない。いま出した答えは、まさにいまのコンテクストの中では最良の答えかもしれないけど、それが次の答えになるかどうかはわからないわけです。

できるだけ長いスパンで見据えた上で、調和を図っていくようなデザインの在り方を模索していくことが必要です。ぼくは何かをクリエイトする仕事なのですが、短絡的なものではなく、意味の深いつくり方を目指したいと思っています。

## 宗教・教育・人権

鎌田　いまの話を聞いて、宗教と教育との関係を思い浮かべるのです。宗教は献身というか、身をささげるところがあって、自己犠牲やリスキーで危険なところ、命懸けなところがある。

天台回峰行などは千日もやるのですからね。それで深い安らぎを得るのですけれども、途中で終わったら、短刀で頸動脈を切って死ぬぐらいの覚悟でやるのです。本当に命懸けなのですよ。修験道も、いつ死ぬかわからない危険性を持っている。

ところが教育というのは、とくに現代教育はそうですけれど、安全でないとできない。だって、教室が安全でないと落ち着いて学べませんから。そういう安全を第一にしながら、ゆったりとあるものを担保して習得していかないと身につかない。いつも危険だとおちおち勉強できない。英語の単語など覚えられないじゃないですか。そういう時間はやっぱり必要なのですね。

ですから、命を大事にする教育の時間と、命を危険にさらすというか、あえてそうするかどうかはいろいろな世界観がありますので何とも言えませんが、宗教が持っている機能と、教育が持っている機能とをうまくバランスさせることが必要です。宗教的なものがどこかにないと、教育や家庭だけでは人間は危険性にまでなかなか行けないのです。

ハナムラ　本当にそうだと思います。文化ってそういうダイナミックバランスの中で生まれてくると思うのです。だから、世の中が危険なときは心の安寧を求めることが花開くし、世の中が安全なときはちょっとスリリングなことが求められる。

武士道が支配的な武家の時代に禅が求められたのは、命のやりとりをする動に対して、その反対側を補いにいくように落ち着いて坐る静が必要だったのだと思います。男性原理が旺盛な世の中では、心のどこかで、これではバランスが悪いということで、反対側の女性原理というか、落ち着いたものを目指すようになるという気はします。時代時代に応じて、どちらが前に出てくるのかは変わってくるので、そのバランスを見ながらデザインすることが必要なのだと思います。世の中がある一方に偏っているのなら、その反対側を示すのが、トリックスターの役割だと思う。ぼくがデザインとアートとの関係で意識しているのはそのバランスです。

だから、おっしゃるように教育はものすごく大事です。世の中が危険なら安全を守ってあげないといけないという部分があるし、逆に世の中が安全であれば、ちょっと危険な教育も重要かもしれない。両方の調和を図らねばならないのかもしれませんね。

鎌　田　同時に考えなければいけないのは、人権ですね。自由と人権というか、一人一人の生き方を、一人一人の速度に沿って成就していけるような多様性やゆとりが必要だと思うのです。たとえば戦前に、「天皇陛下、万歳」と言って死んだのは、強制的に死なざるを得なかったわけじゃないですか。国家全体が教育も含めてそういうふうに仕向けた、国体教育をした時期もある。全体主義的な社会はそういう方向に行く恐れがありますね。

ハナムラ　そうですね。

鎌　田　人間を抑圧し、自由を奪い、選択肢を持たせない。だけど、われわれが生きていくためには、多様性や選択肢の広がりは絶対に必要です。それは確保されねばならない。だけど、安心、安寧、安全だけの中にいたら、成長というか、変容は起こらない。その中で矮小化《わいしょうか》していくだけです。

ハナムラ　そうですね。多様性の話は非常に大事だと思います。いま多様性がこんなに叫ばれているのは、全体主義への反動からなのですね。ナショナリズムのとる一つのかたちとして全体主義があって、一人一人の個性より、組織とか、社会とか、国家などのために身をささげる価値観が重要とされた。その価値観の前には、人間の一人一人の願望などちっぽけであるとされる。そんな全体主義に不自由さを感じたから、その反発で、今度は多様性だという話になってくる。

でも、これもまた揺り戻しがくるだろうと、ぼくは思っています。多様であるということは、いまの時代、ものすごく大事であることはそのとおりだと思います。でも、その多様性を勘違いすると、今度は全員が自我をむき出しにして、「ばらばらでいい」となりかねない。トマス・ホッブズが言うところの「万人の万人に対する闘争」みたいな危険な状態にまで戻るか、あるいはエミール・デュルケームのいうアノミーみたいな状態に、いまの資本主義社会は進んでいないだろうか。全員がそれぞれ「おまえとは価値観が合わないからいっしょにはいられない」という状態になると、協力し合うことなく、コミュニティが崩壊する。気がつけば、そういう危ない状態にいまなっていないだろうかと思っています。

鎌田　無縁社会ですね。

ハナムラ　無縁社会が当たり前になりつつあるのは、多様性を目指したことの副作用かもしれない。だからこそ、いまコミュニティが重要だと言われていますが、コミュニティやソーシャルというのは少し前までは社会主義のキーワードでしたよね。全体主義のような方向へ向かったものが、今度は多様化の方向に行く。そして、孤立化してくるとまたつながりをつくらなくてはという方向へ進む。長いスパンで見ると、そうした離合集散が繰り返されながら、収斂されていくのではないかと思っています。

多様性はすごく大事だし、「みんな違って、みんないい」はいいのですが、もっと重要なのはその後に続くフレーズです。「みんな違って、みんないい。だから、ばらばらでいましょう」ではなく、「みんな違って、みんないい。だから、仲良くしましょう」ということが重要なのだと思います。

鎌田　調和、ハーモニーですね。

ハナムラ　ハーモニーですね。だから、なぜ多様性がよいのかを考えたい。ばらばらであるということを「認め合う」ことや、違うからこそ互いに「補い合う」ことが、非常に重要だと思います。一方で多様性が大事などと言えるのは、われわれがすでに共有しているものがあるから、ばらばらであることが許されると思うのです。でもいま、その共有しているものに対してのまなざしが失われたまま、ばらばらの重要性だけが前に出ている。ぼく自身はそれはバランスを欠いた状態なのだと思っています。

たとえばですが、ぼくらは太陽がなかったら生きていけない。地球という星の上にみんな住んでいるし、その重力のもとに生きている。普遍的にぼくらが共有しているもの、たとえば空気や水、電気やインターネットのような共有しているものがあって、その前提の上で、それぞれの違いや個性を大切にできるのです。しかし、その共有しているものを見ないで片方だけに目を奪われるのは、すごくバランスを欠いているのではないかと思うことがあります。アートなどをやっていると、個性が大事だと言われます。でも本当に胸を打つものには、どこか人間全般や宇宙に通じる普遍性があるのだと思います。ここでいう普遍性は全体主義とはまるで異なるのですが、多様性だけだと一面的になってしまうのですね。

## 縁を組み直す

鎌田　さきほど言われたように、アートの場合、アーティストがトリックスターと重なる面があると思うのですね。トリックスターというのは、ある面、関係性の破壊です。いままであった安定性を壊していく力。でも、もう一つの面は、別の関係性を結ぶというメディエーターであり、メディアの役割を果たすわけです。だから、いままで常識的に問われていた関係性を断ち切ってものを生み出す力、創造的な役割を持つわけじゃないですか。

そういうトリッキーなものが生まれるためには、やはり自由が必要だと思うのです。つまり、社会の常識とかシステムというものは人々を縛りつけるけれど、その中で生きているかぎりは安寧さを担保できる。だけど、それによって、全体の活性化という点では、どんどん尻すぼみになってしまう。そういうところに新しい縁組を生み出す力をトリッキーな存在は持っている。

わたしは一九八五年に、ある日突然、「わたしは現代のエンのギョウジャになる」と言い始めたのです。昔の役行者《えんのぎょうじゃ》は、山林に入って霊力を高めて修行をし、法力《ほうりき》をつけて、その力を社会に還元していくというのがその姿だった。

でも、わたしが目指すのは、関係性の結び直しができるトリックスターです。役行者の「えん」を「役」ではなく、縁結びの「縁」に代えて、自分は現代の「縁行者」になると。「縁行者」の「縁」というのは、われわれがいままである関係の中にあって、閉じ込もっていく力を、関係性を変えることによって開いていく。さきほどのメタノイアもそうです。メタノイアというのは縁を組み直すことなのです。

縁を組み直すことによって、その人が生きることも死ぬこともあり得る。陰陽もそうだし、ダイナミックバランスもそうですが、その組み直しがうまくいけば、人はよみがえることができるし、生きいきと生きることができる。ところが、組み合わせが悪いと閉じ込めてしまう。

ハナムラ　ぼくは博士論文にもした風景異化という理論では、まさにその関係性の組み替わるときに風景が生まれることをテーマにしていました。風景とは、主体（自分）が客体（環境など）へ向けた視覚や意識の結果として生まれます。でも、この主体と客体の関係性がずっと同じ状態だと、だんだんその関係性が当たり前になり、特段意識されることがなくなる。そうなると風景は次第に見えなくなるのです。たとえば、毎日通る道とか、毎日触れているものなどは、あらためて見直したりしなくなるのです。だんだん新鮮さやありがたみがなくなって、当たり前の存在になってしまう。それは空気のようになります。ぼくらは空気を吸っているけれども、空気の存在なんていま忘れていますよね。

すぐそばにあって自分を成立させているものなのに、ずっと同じ関係性を結んでいると、それが当たり前になって消えてしまう。意識できずに無意識になってしまうのです。それをまた違った状態へと「異化する」というのが、ぼくの風景異化という実践で、それはやはり関係性を組み替えていることになるのだと思います。

鎌　田　まさにメタノイアですね。

ハナムラ　まなざしのデザインはまさにメタノイアです。当たり前のものにちょっと切れ込みを入れて思い出させることで、人がはっと気づく瞬間をつくりたいと思っています。ほんのちょっとした気づきでいいと思うのですが、自分のこれまでの意識に対する気づきが非常に重要なポイントじゃないかと思っています。

そうしたメタノイア的感覚がいまの世に必要なメッセージなのではないかと思っています。鎌田先生とぼくは、宗教とデザインという違う角度からアプローチしていますが、目指しているところは非常に重なっている。

鎌　田　基盤が同じなのですね。自然の持っている息吹にどう感応しながら、それを生き方や関係の中に生かし得るかという点では、宗教もランドスケープデザインも起源と方向性が同じところがあると思うのです。

ハナムラ　そうですね。方法論は違うとしても、目指しているところは非常に近い。やはり生命の捉え直しなのだと思います。生命現象には、物理現象とはちょっと違う次元の理屈があるのではないかと思っています。物理現象は普通に考えると、エントロピーが増大していく。熱は必ず冷めていくし、粒子は拡散していくという法則がありますが、生命現象はその反対に粒子が集中し、収斂していくような方向を向いている。

## パブリックな生命ネットワーク

鎌　田　やはり変容が大きなポイントだと思うのです。それを成長と言い切れるかどうかは別にして。その変化はよい変化をもたらすことができる。でも、悪い変化もあり得る。

ハナムラ　そうなのですよ。政治や経済の世界でも、既得権益を壊すことも含めて、いろいろなものを壊して変化させることが目的になることが多いのですが、何か違うような気がしています。

大事なのはやはり、より「よき」方向への変化なのですね。その「よい」は何かということで、それぞれの主張があり、議論が分かれるのですけど、時代の最適解だけでなく、真理に沿った解は間違いなくあると思うのです。近代科学の台頭の中で価値が相対化され、また民主主義が台頭してそれぞれが平等な権利を持つ社会にあっては、真理も一人一人違うのだということになりがちです。でも、「真理」というのはそもそも一人一人の事情によって異なるものではないと、ぼく自身は思うのです。摂理とか真理というのは、人の個性の違いによらず、全員がその中にいる法則だと思うのです。それに寄り添っていないものは必ず報いを受ける。摂理に合っていないことは不自然なのですから。

鎌　田　生態学的に言うと、パブリシティ（公共性）が中庸であるというのが全体のバランスですかね。特異点に一点集中しないとか。そうでないと絶滅したりする。そういう一種の中庸を共有しているから、一つ一つの多様性が生きている。そのパブリシティというのが、公益というか共有益・共通益で、そういうものをあらゆる生命が享受して、その前提の上に成り立っている。

ハナムラ　そのとおりで、生命のネットワークの中にぼくらは生きている。人間を中心にした民主主義には限界があるのでしょう。

鎌　田　ヒューマンな個だけに限定しているところが問題なのです。

ハナムラ　全員がそれぞれ正義を持っているという考え方だと、そこをどう調整して合意形成していくのかという話になります。でも、ぼくはそういう個々の間における調整や合意形成はパブリックではないと思うのです。
鎌田　ナチュラルなパブリックではないですね。
ハナムラ　そうです。自然の法則があって、それに寄り添うように個々それぞれを調整していかねばならないのだと思います。
鎌田　ネイチャーは真にパブリックなのです。誰のために生きて在るというわけではなく、みんなのためにつながって、みんなを支えているというか、つながりながら在る。まさにそれは大いなる調和、ハーモニーです。
ハナムラ　まさにそうだと思います。仏陀は人間だけの権利を主張したのではなく、あらゆる生命に生きる権利があるという、当時では信じられないぐらいドラスティックな考え方をしていたのだと思います。ところが、そうした生命のネットワークの大切さが忘れ去られ、自我を持った人間は特別な存在で、自然の中で何をしてもいいと勘違いする。それがさらに細分化、個別化していき、全員にそれぞれの主張があるといったことになる。自我を守ることを前提にした民主主義になると、真理が見えなくなってしまうのではないか。
　本当の真理というのは、個々の自我を超えて、われわれが全体として寄り添わざるを得ない法則です。でも、その大きな法則がいまとても見えにくくなっていて、どこに向かって、いかに調和していくのかということを見失っている。だからいまの社会に歪《いびつ》さが生まれて、みんなすごく不調和になっているのではないか。そんなことを危惧しています。

鎌　田　調和とは、ある種、宇宙的なもので、ライアル・ワトソンが言うように、宇宙的な調和が聖地の持っている本質的なはたらきだとすると、そういう宇宙的な調和をわれわれは必要としている。そういうことを感知した先駆者にはいろいろな人がいるんだけど、近代においてそれをいちばん表現したのが南方熊楠《みなかたくまぐす》と宮沢賢治です。

那智で熊楠がやった粘菌の研究なども、生物学と民俗学、自然と文明との間の仲取り持ちをどうできるかということで、二人は典型的にトリッキーな仲取り持ちなのですよ。ああいう知恵と力は、現代にも本当に必要です。

ハナムラ　必要ですよね。南方熊楠と宮沢賢治が宇宙的な調和を目指したという意見に本当に共感します。賢治も芸術と科学との間で、熊楠も科学と宗教との間で、それまで固定化されていた関係性をぶっ壊して真理を求めようとした。そういう意味ではゲーテなどもそうかもしれません。真理を追究していく中で、これまで設定されていた枠に限界を感じた人々が、その枠を取っ払って、もう一度、関係性を組み直そうとするという動きですね。その領域においてはトリックスターのように見えるので、アカデミズムでは保守本流にはなれないのかもしれないけれども……。

鎌　田　でも、それは生命の保守本流だと思います。

ハナムラ　まさに生命の保守本流を突きつめるとそうなりますね。それぞれの時代のどこかで、必ずそういう既存領域の編み直しが起こる。現代的に言うとイノベーションという言葉になるのかもしれません。ただいまのイノベーションと呼ばれるものが真理に寄り添っているのかどうかは、ぼく自身は疑問に思っています。

鎌田先生が『聖地感覚』（角川ソフィア文庫、二〇一三年）で書かれていた神社生態学とか、あるいは神聖幾何学というのは、近代の学問にはない領域の編み直しですよね。ぼくも自説を風景異化論とか生命表象学などと名づけていますが、既存のディシプリンでは捉えきれないようなものに対して視点を編み直す必要があると思うのです。今日、話しながら、宗教とデザインという枠も乗り越えた編み直しが必要だと感じました。

鎌田　そうですね、生命にとってはね。

ハナムラ　個々に見るとばらばらに見えるものをつなぐ一オクターブ抽象的な視点とか、本質的な視点から捉えないといけない。

鎌田　メタノイアだ。

ハナムラ　まさにメタノイアが起こる必要がある。あらゆる物事へのまなざしを改めてデザインする必要があるのではないかと思います。

（第一章―第六章　二〇一七年三月二十日、京都市鎌田宅にて）

# 第7章

# 宇宙の縮図

## †聖地から宇宙を見上げる

## 奥の世界から表の世界へ

鎌田　わたしが最初に聖地に触れたのは、たぶん母親の胎内ではなかったかと思うのです。

ハナムラ　かなり遡りますね。

鎌田　本当に。少し前に世阿弥の本を書きました（『世阿弥――身心変容技法の思想』青土社、二〇一六年）。世阿弥の複式夢幻能では、ワキとシテが鏡の間から出てきて、橋掛かりという空間を通り、表舞台に登場して、二人がさしで語り合う。そして、前半に登場する前シテの場合は、現実界の男や女の姿で出てきますが、後シテの登場する後半では、怨霊であったり、恨みを呑んで悲しみを抱えて死んでいった人の霊として現れるわけです。その構造をつくり上げるためには、三つの空間が必要だった。表舞台というのは現世、つまり現実世界で、霊の世界とそこをつなぐ通路が橋掛かりです。一の松、二の松、三の松があって、そこでは現実世界へと次第にグラデーションしていく。そして、そこに至るまでのさらに奥には鏡の間があって、ここで塩を振ったり、お浄めをしたり、お神酒を飲んだりして、祈りがあり、面をつけて憑依《ひょうい》する、すなわち人格変容する。それが鏡の間なのです。鏡の間とはいわば奥宮で、異界であり、表の舞台は里宮で現実界ですが、奥がなければ表はないのです。この鏡の間がないと、こちらのほうに、つまり現実界に顕現できない。こういう構造が、じつは人間の世界では胎内から産道を通って誕生することに対応する、言い換えれば橋掛かりを通って表舞台へ出てくるプロセスは、現実界への誕生、顕現でもあるわけです。最近、このように考えるようになって、母親の出産が、わたしの聖地感覚のいちばん原初的な段階であり、根源なのだと実感するようになりました。

クロノロジカルなライフヒストリーとしては、十七歳のときに徳島から一人で自転車に乗って九州を一周旅行したとき、青島《あおしま》（宮崎県宮崎市）に立ち寄りました。そのとき、肌が泡立つような不思議な感覚を覚えました。鬼の洗濯板って行ったことありますか。

ハナムラ　行ったことはないですね。

鎌田　鬼の洗濯板というギザギザの、突起状の襞《ひだ》のような岩があるのです。そこを通って地先の島である青島に行く。潮が満ちてきたらその通路は切れて、潮が引いたらつながる。そんなところを歩いて行くと、そこに豊玉姫という海の女神とその夫の山幸彦（彦火火出見命《ひこほほでみのみこと》）を祀っている青島神社がある。そこに立ったとき、この空間そのものがどこか遥かに遠い異世界につながっているという感覚を持ちました。それは洞窟が喚起する感じとも似ていると同時に、鏡の間と表舞台とがつながっているという感覚とも同じです。ここだけではない、この裏と言うか、奥と言うか、それがちゃんとあって、そこともつながっている。それは沖縄ではニライカナイという海の彼方にある魂の国、神の国、他界だし、アイルランドではティル・ナ・ノグと

鬼の洗濯板に囲まれた青島

いう常若《とこわか》の国とつながっている。そういうことがはっきりと感じられるところに、神社や寺院や教会が建って、聖地になっていったのだと思います。

十七歳のときに初めて聖なる場所としての聖地が、わたしの内部で意識化されたのですが、そのとき、もう一つ重要なファクターがありました。それは、十歳のときに『古事記』を読んで非常に感動し、何か救われた感じがした経験に由来します。どういうことかと言えば、小さい頃からわたしが「オニ」と呼んでいた、目に見えるか見えないかもよくわからない不思議な存在を『古事記』が保証してくれたからです。つまり、日本の神さまは、神も鬼も悪霊も、みんな「カミ」という言葉の範疇で物語化されている。とはいっても、十歳のときに初めて読んだ『古事記』は自分の受け止めではずっと昔の物語にすぎなかった。現実世界と直接、接続点はなかった。単なるファンタジーではないけれども、不思議な神秘的真実を表す神話的な物語にすぎなかった。ところが青島神社に行って、『古事記』に描かれている神さまが実際に神社に祀られているという事実を知ったとき、とても不思議な感じがしたということなのです。へえー、神代の話が現代のこの青島神社につながっている、これはどういうことなのか……。自分では整理できないぐらい、混乱というか不思議な感じがし、時間と空間がひん曲がって結びついたかのような、それがわたしにとって最初の聖地体験になりました。つまり、聖地は時間を圧縮したか、あるいは飛び越えた、すなわち時間を無化したのです。

## クレーターとメテオラ

ハナムラ　ぼくはそこまでの感じを受けた聖地にはまだ行ったことがないかもしれません。あえて言うなら、聖地かどうかはわかりませんが、アリゾナにあるサンセット・クレーター、そのクレーターの底に降りたことがあるのです。

鎌　田　サンセット・クレーターというのは、何によってできた穴ですか。

ハナムラ　火山の噴火口だったと思います。隕石が落ちてできたクレーターなら聖地としての意味がより興味深いものになりそうですが……。

鎌　田　それなら最高の聖地ですよ。

ハナムラ　そうなのです。ぼくが本当に行きたかったのは、その近くにジェームズ・タレルというアーティストがつくったローデン・クレーターという場所だったのですが。

鎌　田　ああ、有名ですね。

ハナムラ　そこを探しに行ったのですが辿り着けなくて、サンセット・クレーターの底に降りたのです。その底がなんと言ったらいいか、ものすごく静かなんです。

鎌　田　そうらしいですね。

サンセット・クレーター

ハナムラ　音がまったくなくて、自分の声だけがこだまして返ってくる。それから、なぜか命の気配がないのです。あれは少しびっくりしました。

鎌　田　ジェームズ・タレルの作品は、瀬戸内海の直島《なおしま》で見ました。

ハナムラ　『南寺《みなみでら》』ですかね。真っ暗な部屋のやつですか。

鎌　田　そう。それともう一つ、『オープン・スカイ』という彼の作品を展示していたのです。ジェームズ・タレルのことをわたしが知ったのは、作家の宮内勝典を通してでした。

前にも触れましたが、宮内勝典という人のことを、ここで少し詳しく説明させてください。彼は一九四四年、ハルピン生まれなのですが、戦後日本に戻り、父祖の地であった鹿児島に住みました。そして、鹿児島市の甲南高校に進学したのですが、その一年後輩にいたのが大重潤一郎でした。宮内さんは文学青年で、文芸部のサークルをつくり、『深海魚』という文芸部の同人誌を制作していた。そんなとき、大重潤一郎がなかなかよい短歌をつくっているというので、彼をスカウトし、同人誌に引き込んだ。そして、「おい、あの映画を見たことあるか」と大重に言って、『禁じられた遊び』（ルネ・クレマン監督、一九五二年）を見に行かせた。それを見て、大重潤一郎は映画にはまっていきます。こういういきさつがあって、二人とも高校を出て大学には行かず、それぞれ放浪したり、映画界に入ったりした。あの時代（一九六〇年代中頃）は、大学に行かないことが反抗する若者の一つのスタイルでもあったのですが、宮内さんは作家になっていくのです。『南風』という作品で文藝賞をとり、そのあと読売文学賞や芸術選奨なども受賞していきます。宮内さんと大重さんは高校時代からの同志のような間柄です。その宮内さんの『ぼくは始祖鳥になりたい』という小説、すでに引きましたが、わたしはこれが宮内さんの最高傑作だと思っている。タイトルもいいじゃないですか。

ハナムラ　始祖鳥って、あの恐竜と鳥の間のやつですね。

鎌　田　そうそう。わたしは子どものころから始祖鳥が大好きなのですよ。始祖鳥になりたいと本当に思っていたのです。いまでもそう思っていますよ。『ぼくは始祖鳥になりたい』という小説は超能力者の話なのです。清田益章君をモデルにしたような……。

ハナムラ　スプーン曲げのね。

鎌　田　そうです。彼をモデルにしたところから始まる物語なのですが、主人公がアリゾナ州のクレーターを訪ねていくのです。ここで宮内勝典さんについて再び話したのは、ジェームズ・タレルの『オープン・スカイ』の写真が『ぼくは始祖鳥になりたい』のカバーデザイン（一二七頁参照）に使われていたからです。わたしは宮内勝典さんから、ローデン・クレーターのことを聞きました。彼もそのクレーターに入って行った。するとそこには、地球の気配とはまるで違う何かがある。

ハナムラ　そんな感じですね。

鎌　田　さっき言ったように、鏡の間は地球的に言うと海になるけれど、宇宙でもいいのです。次元が違う世界でもいい。金星であっても、どの星であってもいい。ですから、隕石が地球に落ちてきたところは間違いなく一つの聖地であり、そこでトランスフォーメーションを経験するのです。実際、イスラームのマッカのカアバ神殿では（一七七頁）、黒い隕石がご神体のように安置されているところが中軸であると言われています。だから、隕石が持っているエネルギーを電磁場的に構造変化させたものの力は、かなり重要なのです。

ハナムラ　メテオラ（ギリシャにある奇岩群。六千万年前に海底に砂が堆積してできた岩が隆起し、浸食されてできた）などもそうでしょうか？

鎌　田　メテオラに行きましたか？

ハナムラ　ぼくは行ってないのですよ。

メテオラ．巨大な奇岩の頂上に修道院が建っている．

鎌　田　わたしは一九八一年に行った。

ハナムラ　メテオラって、彗星のことをメテオというでしょう。

鎌　田　ギリシャ語からきていますね。

ハナムラ　そうです。フランスのル・ピュイ（ル・ピュイ＝アン＝ヴレ）なども、切り立った岩がドカンと真ん中にあって……。

鎌　田　メテオラをどういう観点で見ているのですか。

ハナムラ　行ったことがないので何とも言えないのですが、メテオラのあの景観は明らかに異様ですね。

鎌　田　すごいですよ。ぼくは日本のことを研究していますが、子どもの頃からずっとギリシャに憧れていたのです。十歳のときに『古事記』を読んで、その後すぐギリシャ神話を読んだ。すると、ギリシャ神話には、日本神話のイザナギ、イザナミの話と同じような、オルフェウスとエウリディケーの冥界遍歴の話が出てくるじゃないですか。日本とギリシャという遠く離れたところで、なぜ同じような話があるのかなと、子ども心に不思議でした。

ハナムラ　つながっているのですね。

鎌　田　以来、日本に対する憧れは一切ありませんでしたが、ギリシャに対する非常な憧れが生まれて、ギリシャに行きたいとずっと思い続けていて、三十歳になったとき、ギリシャへ行ったのです。子どものときから、ギリシャに行ったら真っ裸になって、さんさんと降り注ぐギリシャの陽光を全身に浴びたいと思っていた。そこで何はさておき、デルフォイの神殿に行った。古代人がアポロン神の神託を受けたところに立ち、山頂に登って、真っ裸になって龍笛《りゅうてき》を吹いた。するといろいろと妙なことが起こったのですが、それは話すときりがないので省略して、その後、メテオラに一人で行きました。メテオラには切り立った断崖に洞窟があり、修道士がそこにこもって何日間も断食をする。自力では下りていくことも上っていくこともできないような絶壁に穿《うが》たれた洞窟なので、ロープなどの道具か仕掛けを使ってそこに行き、瞑想の修行をする。一人がやっと入れるような洞窟。メテオラそのものは真っ平らな地上にドーンともものすごい巨岩が一個だけあるという場所です。
ハナムラ　切り立って、屹立しているのですね。
鎌　田　巨大な隕石が突き刺さっているようにしてある。あるいは勃起しているようにしてある。その場所には異様な力があります。
ハナムラ　隕石はダイレクトに宇宙とつながっている感じですからね。
鎌　田　もう宇宙そのものですね。
ハナムラ　宇宙というと、さっきのジェームズ・タレルの『ローデン・クレーター』の話とつながりますが、どういう作品かを少し説明します。ジェームズ・タレルは光と知覚を追求するアーティストなのですが、彼がアリゾナ州のクレーターを一個買った。
鎌　田　買ったのですか。
ハナムラ　クレーターを一個丸ごと買って、生涯を賭けて作品をつくるプロジェクトです。一九七〇年代からずっとつくっている。
鎌　田　そこに宮内勝典さんは行ったのでしょうね。
ハナムラ　ええ。でも、それは財団が管理していて、基本的には年に何回か開催されるツアーでしか入れないのです。どういう構造かというと、クレーターの底って窪んだ場所でしょう。そこに空を見上げるような部屋をつくって、星や太陽の動きを見たり、光の表情を見たりできるのですが、さらに絞った光を導くと、ピンホールカメラの現象で外の風景が写るという仕掛けもあるということです。ぼくはこれが人工的にデザインされた聖地だと思っているのです。これまで聖地は、基本的に人間にはデザインできないのではないかと思っていたのですが、聖なるものを宿すために、人が整えることのできる条件もあるんじゃないかと最近では思っています。そのあたりを芸術というアプローチから考えているのです。

鎌田　タレルの発想は天才的ですよね。彼は、人工とはいえ、陰陽も、月と太陽なども含めて宇宙的な発想をしていて、われわれが持っている構造を、もっと違うカタチに変換したり、可視化できるような仕組みにすることに非常な関心を持っていて、宇宙の謎のような、一見するとそれはメカニックですが、同時に宇宙の構造が孕む神秘を表現しています。

## 場を敏感に聴き取る

鎌田　ぼくは縄文時代の遺物が好きなので、あちこちへ行って縄文の遺跡を見ていますが、縄文遺跡でいちばん感動したのは、三内丸山遺跡ではありません。能登半島の突端にある真脇《まわき》遺跡のウッドサークル（環状木柱列）です。これは本当に聖地の中の聖地だと思います。六千年前から二千年前ぐらいまでの長期にわたって縄文人や弥生人が定住していたのですが、いまの復元されている場所で同じように住んでいたかどうかはよくわかりません。でも、ウッドサークル跡には立てた木が埋められた穴があり、木の破片が発掘されていますので、あそこに諏訪の御柱《おんばしら》のように巨木を林立させていたことは確かですね。そして、イギリスのストーンヘンジのように、木がサークル状に並んでいるのです。

いま復元されているものは高さが十七メートルぐらいですかね。外側が平たくて内側が半円形の丸く高い木が配置されて、直径十メートルぐらいのサークルになっている。その中に一人で入ってほら貝を吹いたのです。そうしたら、周りの地形がやっぱり同じような構造になっていて、山に囲まれ、前方は海、そういう状態を同心円状あるいは渦巻き状だと感じました。エネルギーをギュッと凝縮して、そこにねじ込まれているといった。だからそこに入ると、さきほど母の胎内から表舞台へ出てきたようなことを言いましたが、まさに胎内の空間と真脇遺跡のあるこの世界には、マクロコスモスとミクロコスモスの照応があって、そこに行ったら誰もがそれを感受できると感じました。タレルの『ローデン・クレーター』も真脇のウッドサークルも、人工的にそういう宇宙感覚をもう一回再現していこうというデザインだと思うのです。

ですから、それは何千年も、あるいは何万年も人間が考えていたことの一つの表現なので、決してジェームズ・タレルだけの特異なものではないと思いますね。

ハナムラ　そうですよね。本物の聖地というのは地球の中の特殊なポイントだと、ぼくは考えています。身体で言うと経絡《けいらく》のツボみたいなものですね。特殊なポイントだから、ほおってお

真脇遺跡のウッドサークル（環状木柱列）

いてもエネルギーが噴出してくる場所だと思うのです。でも、そうではない場所は通常、エネルギーの通りが悪かったり、その質も濁ったりして問題が起こることもある。そうした場所をどうすれば聖地化できるのかということに関心がありました。たとえば病院というところは、すごく気が悪くなりがちだと思うのです。そういった場所のリズムを整えていくために、一時的に聖地化するということを考えたのが、『霧はれて光きたる春』というインスタレーション作品です（九五、九七頁参照）。これを初めて制作したときはそんな狙いも確信もなく、感覚的に、ああいう風景が病院に必要だと考えてつくりました。一方で本物の聖地をフィールドワークしていくと、さっきの真脇遺跡の話じゃないですけど、ぼくの身心に敏感に場を感じ取る感性がないとつくれないなと思うようになってきました。聖なるものが宿る場のデザインのためのヒントがほしくてフィールドワークを始めたと言ってもいいかもしれません。ぼくらが学問として教わるデザインの方法は、近代的な教育で教わります。でも、そこには限界を感じていて、どうやってそれを乗り越えていくのかを探しているのです。たとえば、さきほどの真脇のウッドサークルにしても、なぜ柱の外側が平たくて中が丸くなっているのか。そのカタチのロジックというか、形態の裏側に必ず見えない原理があるはずです。それをどうやって知ることができるのだろうかと。

鎌　田　それは命が知っているのです。だから、命が知っているものを聴き取る以外に方法はないと、わたしは思っています。あらゆる芸能は、そういうものをキャッチした人たちが表現して生まれたものだと思うのです。優れた能がそうだし、神楽、琵琶法師の語りも、声明《しょうみょう》もそう。そういうものが生まれてくるには必然性があったと思うのです。その必然的な摂理の構造がなければ、これほど長い間、伝承されることはなかったでしょう。

ハナムラ　ぼくもそう思います。いまの教育体系にはないロジックですね。

鎌　田　だから、その仕組みには何かこの生命を調整するような構造があって、そういう構造に行き当たったという感覚がある。原理はあるのですよ。原理はあるけれど、誰もその原理を理論的に認識しているわけではない。直観的に探り当てていて、それをイマジネーションの世界で直観的に表現している。それに同調できる者が、シンクロしてわかるわけですよね。いずれそれをある程度、理論的に解明することも可能でしょう。その最初の鍵は、日本では縄文土偶や縄文土器を分析することだと思っています。

ハナムラ　岡本太郎も、ずっと縄文土器を分析していましたね。

鎌　田　縄文のエネルギーの変換の仕方ですね。そして、土偶や土器をなぜつくるのか。今日は縄文の楽器を持ってきています。

ハナムラ　鎌田先生は毎日、石笛《いわぶえ》を吹かれているそうですね。

鎌　田　石笛も、ほら貝も毎朝吹いています。ちょっと吹いてみますね。これは本当に感覚なので、自分で感覚を研ぎ澄ましながら吹くしかないのです。

ハナムラ　そうですよね、言葉じゃないコミュニケーションですから。それでは吹いてもらいましょう。

（鎌田氏、石笛・ほら貝演奏）

ハナムラ　（拍手）なるほどすごいですね。石笛の音は初めて聴きました。

鎌　田　これは縄文の石笛なのです。縄文遺跡から天然の石に穴を空けたのが出てくる。神道家の平田篤胤《あつたね》など、そういう石を九十九里の海岸で拾って、毎朝吹いていた。出口王仁三郎《おにさぶろう》は大本教の鎮魂帰神《ちんこんきしん》（大本教初期の修行法）でそれを使っていた。それから、なぜわたしがほら貝を吹くのかというと、上山遺跡（新潟県）とか縄文のいくつかの遺跡から、本当に美しいほら貝型の土器が出土しているということがあります。

ハナムラ　人がわざわざつくったほら貝型の土器ですね。

鎌　田　はい。こんなに美しい、ほら貝のような土器をつくるということ自体、ほら貝に対する畏敬の念があるから。あるいは何か神秘を感じないと絶対にそんなものはつくりません。そして、すごく大事にしていた。だからほら貝に特別なものを感じ取っていたと思うのです。ほら貝というのは、息を吹き込むほうが鏡の間で、その反対側の広がっているほうが表舞台として音が出ていく。この表舞台の開口部から音が出るのです。吹き込むのは息ですから、声、あるいは響きになっていない。それが拡大されて響きになってここから出てくる。中は、らせん状になっていています。吹くほうは非常に小さい空洞を人工的にカットしてつくりますが、こちらの音が出るほうは自然のままです。音がほら貝の中で反響しながら、ぶつかりながら、うねって出てきて、一種の倍音的な、エコー的な音が生まれてくる。この響き方自体も聖地の響きです。洞窟はとくにそうですが、響きがいい。その響きの中で、われわれが何チャンネルにもわたって通じていくような感覚を持つことができれば、たとえば熱帯雨林などに入ると別の感覚が開けてくると思うのです。

われわれは都市生活において一元的なチャンネルしか持っていない。別のチャンネルをシャットアウトしているのです。でも、聖地であろうが、パフォーマンス的な経験、アート的な経

縄文時代の巻貝形土製品

験であろうが、切られているチャンネルをもう一回接続する機会を設けていく。それがさきほどの、人間の側のデザインであり、それがソフトをどういうふうにはたらかせて聖地感覚を生み出すことができるのかという問題につながる。なので、演奏することを通して聖地感覚をそこに現出させることもできる。たとえば、ここは大阪のハナムラさんのアトリエだったところです。そこでほら貝を吹くことによって、時間と空間をビビッと揺らせることができる。そういう錯覚、あるいは錯視のようなものを生み出すことによって、われわれが普段閉じきっているチャンネルを開き、パッパッパッと点滅させていく。シャーマンなどはいろいろな仕方でそういう作業をし、異界や異次元からのメッセージをキャッチしたのだと思います。

ハナムラ　いまの話を受けて思うのは、ヴァルター・ベンヤミンが、『パサージュ論』かどこかで書いていたと思うのですが、ぼくら現代人は環境からの刺激がものすごく多いから、いちいち全部の刺激に反応しているとストレスで死んでしまうと。だからストレスを軽減するように普段はある程度、情報をシャットアウトして生きている。それは自己防衛本能としてそうしているのですが、ずっとシャットアウトし続けていると、今度は身体がストレスを感じていることに気づかなくなってしまうと。だから、ときどき感覚を開いて、意識下に置く必要があると思うのです。その感覚を開く役割をするのが、芸術だったり、いまの石笛だったり、聖地のような場所だったりするのではないか。それが聖なる空間感覚を生み、聖なる時間の感覚をもたらすのではないかと思います。

## 恵みと災いの両方を受け止める

ハナムラ　さきほど観た大重潤一郎監督の映画『久高オデッセイ』の話を少ししましょうか。鎌田先生はこの映画に制作としてかかわっていらっしゃるのですね。

鎌　田　そうです。

ハナムラ　久高島って祭りがすごくたくさんあるんですね。イザイホーは十二年に一回ですけど、月の一日と十五日に先祖供養をする日があったり、聖なる時間、祈りの時間がものすごくある。生活の中心が祈りであって、言葉じゃないんですよね。祈ったり、歌ったり、踊ったりするために生活があるという、祈りを中心とした生活に強く感動しました。大重さんの語りもとてもよくて、最後のほうなど、あの語りが映画全体のメッセージを導いていますよね。

鎌　田　あの収録は大重さんが亡くなる一カ月前ですからね。

ハナムラ　あの映画ではいろいろなことに感動したのですけど、たとえば〝すべてを自分でやらなければいけない〟というメッセージがありました。途中に船の上で生活する方々が登場していましたが、生活の総合性を引き受ける覚悟が感じられました。その生活のすべてを自分で引き受けたときに、初めて人の手でできることとできないことが見えてくるような気がしま

大重潤一郎監督『久高オデッセイ』

す。その上で、人の手でできないことに対しては、ぼくらはもう祈るしかないのですね。台風という膨大なエネルギーが外からやってきたとき、人間は何もできないでしょう。

鎌　田　「いと小さき者」ですね。

ハナムラ　まさに「いと小さき者」ですね。何もできないから祈るしかない。その敬虔な祈りが生活の中にぴったりと入っている。そこが素晴らしいと思いました。

鎌　田　わたしも同感です。素《す》の姿で本質的なことを淡々と映し出している。

ハナムラ　ウミガメが産卵するシーンにもとても感動しました。ウミガメが涙をぱあっと流して、その後、別のシーンで女性がわあっと泣くシーンがあるじゃないですか。ウミガメも人もあんまり変わらないんだなと思いました。

鎌　田　それが生命そのものの姿だと思うのです。この映画は第一部、第二部、第三部とあって、見てもらったのは第三部です。第一部にもウミガメが出てくる。第二部には出てこない。そして第三部にまたウミガメが出てくる。ウミガメと出会うというのは、久高島でもしょっちゅうあるわけじゃない。稀なることなのですよ。しかも、夜中に産卵の場面に出会うなどということは、久高島でもめったにないことなのです。第一部では、真っ昼間にウミガメが出てきて、そのウミガメがイノー（沖縄の方言でサンゴ礁に囲まれた浅い海のこと）というところでもがいている。水が引いてしまったので元の海に戻れずに苦しんでいる。満ち潮になり始め、海水が押し寄せてきて、やっと大海へ帰って行くというシーンが描かれていました。それは、動作がもたもたしていかにもかわいそうだなといった印象でした。第三部では、ウミガメは産卵という生命の循環の大仕事をちゃんと果たしました。それもていねいにていねいに、本当に美しく砂浜に穴を掘って、産卵して、ぱたぱたっと卵に砂をかけて大事に守っていた。

ハナムラ　あのていねいで繊細な掘り方がよかったですね。

鎌　田　掘り方と、その後に盛り砂をして整えるところ。彼女は誰に学ばずともあれができるのですね。

ハナムラ　人間より、よほど中身ができていると思います。

鎌　田　この構造というか摂理というのか、これはすごいと思わせますよね。産卵のときに、われわれが見ても同調するような美しさやはかなさ、あるいは命の尊さ、そういういろいろなことを感じさせてくれる。しかもそれは、満月の夜……。

ハナムラ　ウミガメの動作に、「これは喜んでいるのだろうか？　それとも悲しんでいるのだろうか？」などいろいろと感じました。周囲が海に囲まれている島には独特の特徴があると思います。ニライカナイは西方にあるということが映画の中のお話にも出てましたけど、海からさまざまなものがやってくるからですよね。

鎌田　そうですね。たとえば台風。

ハナムラ　台風もくるし、魚もくるし、ウミガメもくる。やっぱり海の向こうには何か別の世界があると思うようになるのも理解できますよね。

鎌田　とくにあのイノーのところはイシキ浜という浜なのです。そこには五穀が流れ着いたという伝承がある。もちろん台風は人家に対して大きな被害をもたらすことはありますが、海の水を大きく攪拌したりするので、深海魚をイノーのところに運び込んだりもするのです。台風の後でイノーに行ったら、水が引くともういろいろな魚がわんさかいる。普段だったらそこにいないような魚までさらってきますから。これを見ていると、台風は大きな被害をもたらしますが、一方でさまざまな幸《さち》ももたらしてくれているなと思う。荒ぶるだけじゃなくて、恵みを与えてくれてもいることを実感します。

ハナムラ　そうなのですよね。モンスーン気候の特徴というのは、単に厳しいだけじゃない。

厳しさと優しさ、その両方がある、アンビバレントな自然の特徴があります。だからそこに祈りの力が必要になるんじゃないかと思います。簡単に善悪や恵みと災いをスパッと割り切れない。マイナスだけでもプラスだけでもなくて、両方がくる。だから人はなすすべがなく祈るしかない気持ちが生まれるのかもしれません。

鎌　田　わたしは東日本大震災の被災地の追跡調査をしていて、つい最近、十一回目の追跡調査をしてきました。半年に一回、東北の被災地の同じようなところを千キロぐらい巡っているのです。最初は大変だった。畠山重篤《はたけやましげあつ》さんという、「森は海の恋人」の運動（カキを養殖する気仙沼湾の環境はそこに流れ込む大川上流の室根山の森を創ることから始めなければ、というところから始まった運動で、いまは環境教育・森づくり・自然環境保全を主な活動とする「NPO法人 森は海の恋人」として活動している）をやっている人たちが気仙沼の唐桑《からくわ》半島というところにいて、カキの養殖をして生計を立てているのです。有名な方たちです。震災で養殖は台無しになり、これは大損失でした。おそらく何千万円とか、大きく運営していたら億単位の損害を与えたかもしれません。しかし、半年経ち、一年経ち、一年半ぐらい経ったときに、養殖を復活させようとしたら、ものすごい速度でよいカキができてきた。なぜかと言うと、海の底のほうから全部をさらって綺麗にしてくれて、かつ、プランクトンも含めて新たな生命の発現があり、ものすごく活性化してくれているのですね。それは生態学の理論じゃなくて、生きているもの同士がそういう中で刺激を与え合い、よりよい産物になってきた。海に生活していたら必ずそういう循環があるということが経験的にわかっている。だからそこに高い防潮堤などをつくったらもう台無しになってしまうのですね。

ハナムラ　まさにそうなのです。ぼくが教育を受けたランドスケープデザインも建築も、近代的な技術を前提に組み立てられていますけど、どこかに限界があるのですね。いまの文明が目指していることって、恵みだけがほしくて、恵みじゃないものはすべて排除していく。美味しいところだけがほしい。でも怖いものは要らないんだって排除してきた結果が、ものすごく歪《いびつ》なことになっているのではないかと思います。

鎌　田　歪過ぎますね。

ハナムラ　恵みと災いの両方とも受け止める覚悟というのが、久高島の人たちの生活の中にすごく見えたのです。だからあれだけ祭りがあって、祈りが日常化している。祈るということは感謝することだと思うのです。過去への感謝と未来への願い。だから、祈りがあれだけあるということは、厳しい自然と優しい自然の両方がくることをしっかりと受け入れて生きている態度に見える。その態度が、いまのぼくらの文明に決定的に欠けているんじゃないかと思うのです。

鎌　田　ぼくは、神道しかりですが、自然信仰のいちばん根幹にあるのは、あるいは原初的な宗教の根底にあるのは畏怖だと思っています。畏怖がなければ感謝もない。大いなるものに対する畏《おそ》れの気持ちと、すごいという畏怖や畏敬の気持ちがあるから、このすごさの中で、「いと小さき者」として生きている自分に対して慎しみも生まれてくるし、感謝も生まれてくる。だから畏怖が存在の根幹だと思います。

ところで、ハナムラさんの「生命表象学」のダイアグラム（二五二、二五三頁参照）がありますね。そこで久高島の生活と重ねると、太陽と地殻があって、もう一つ、月を入れなきゃいけないんですよ。

ハナムラ　あ、月ですね、そうだな。

鎌　田　なぜかと言うと、沖縄では太陰暦ですべての祭式を行っていますね。ウミガメが産卵にくるのは「みずのえみずのと（壬癸）」のミンニーの日、つまり旧暦の太陰暦の決まった日なのです。十干《じっかん》十二支のカレンダーの巡りで、水の力がはたらいているというミンニーの日に何かがある。ミンニーの日に潮を汲んできて、太陽のエネルギーで塩をつくる。ミンニーの日には、ウミガメがやってきて産卵するという島の伝承があるのです。それで、大重さんは車椅子で動けませんので、比嘉真人さんという助監督が行ったのです。比嘉さんは最初、半信半疑でした。でも言い伝えがあるから、ミンニーの日に浜に行ってみようと思った。それでイシキ浜で待っていた。そうしたらやってきたのですよ。

ハナムラ　本当にウミガメがきた。

鎌　田　ええ。言い伝えとピッタリ合って、そのミンニーの日にあの産卵する様子を彼はたった一人でハンディカメラをもって撮影した。これは摂理に基づいているのですが、それを信じ

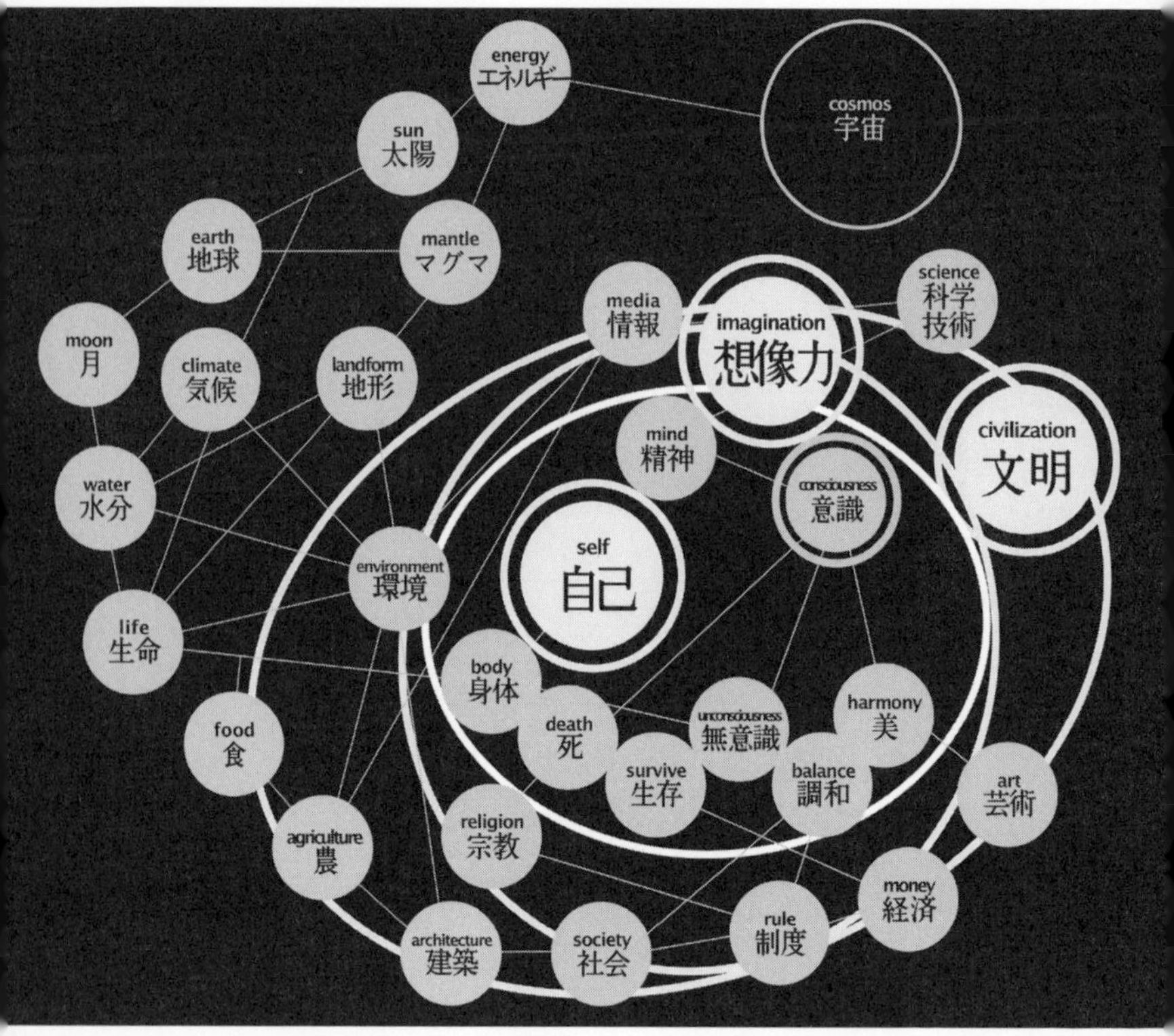


ハナムラチカヒロ「生命表象学」のダイアグラム（月を追加）

column

# 「生命表象学」のダイアグラム

ハナムラチカヒロ

ハナムラが唱える包括的学問体系の相関図。「自己」と「環境」との関係を中心にさまざまなスケールの要素との関係を描く。もっとも大きな環境である「地球」とそれを動かす「宇宙」の「エネルギー」。その中で特に大きな要素は、「太陽」と地球内部に滞留する「マグマ」である。太陽から降り注ぐ光は地球の「気候」を生み、地中の「マグマ」が地表を押し上げて「地形」を生む。その地形や気候が合わさり、その土地の「水分」条件が決まる。水は動植物といった「生命」を生み、「月」の引力に影響を受けながら体内と地球を巡る。これら総合的な要素すべてが環境に含まれる。

一方で人間は物質としての「身体」と、それを動かす「心」でできており、それらは無意識に自然環境と一体のリズムを刻んでいる。初源の人類は環境と自己とを分けることはなかったが、人類の進化の中で芽生えた「意識」は自然環境において存在する身体と精神を持つ自己とを生み出した。自我意識が生まれると、それが消える「死」の概念が生まれる。無意識に組み込まれた本能は「生存」を求め、死後の自己の永続を保証する「宗教」を生みだす。またもう一方の無意識の本能である他の生命との調和への欲求が「美」を生み、それが意識化され「芸術」となる。

また身体の維持には「食」を必要とし、より効率的な食の確保の手段として「農業」が生まれた。いまの文明の根底は農業の誕生以降に成立する。その農業の効率化のために環境の「情報」を分析し、それを活用する「科学技術」が発展する。またその土地を離れられない農業は定住を前提とするので、「建物」を必要とする。それは人が集まって住む「社会」を生み、そこで人々が調和するためのルールや「制度」が生まれる。そして自然から得た恵みを分配する「経済」というシステムが生まれる。こうしたすべての要素が包括的に絡み合う場において生命はその表象を形成するが、人間の文明の大半は想像力の産物である。

られるか信じられないかですね。そこに身を置けるか置けないか。この違いですね。それによってあの場面が生まれたのです。

## ノスタルジアでは状況に対応できない

ハナムラ　結局、大きな自然のリズムに同期できるかどうかだと思うのです。ウミガメは月のリズムに同期しているわけですね。太陽のリズムとか、いろいろなリズムがありますが、エネルギーは全部リズムになって脈動している。ぼくらの身体も心臓の鼓動とか、血流とか、そういうものもすべてリズムがあって、これが自然や月のリズムなどとピタッと合ったときに、ハーモニーが生まれる。でも、いまぼくらはそのリズムがズレているのですよね。都市で生活していると身体と自然のリズムが大きくズレてきて、だから身体の不調や心の不調が出てきたりする。それをどうやって整えていくことができるのかが、重要だと思っています。

鎌田　『久高オデッセイ』の助監督の比嘉真人さんは東京生まれ、東京育ちです。でも、両親は沖縄の人、南城市《なんじょうし》の出身なのです。真人さん自身は東京で生まれて、テレビの映像の仕事をしていました。そして、最初にやった仕事が、この映画のナレーションを担当してくれた鶴田真由さんが出演した番組のアシスタント・ディレクターだったのです。そして、沖縄の基地の問題などいろいろなことがあり、父祖の地である沖縄に行こうと決めて、基地闘争の映画などをいくつかつくって賞をもらったりしていた。そして、『久高オデッセイ第二部　生章』の上映会で大重さんと出会ったのです。たまたま比嘉さんが、満身創痍の状態で車椅子に乗っている大重さんの隣に座ったので、大重さんが「おい、お前、手伝ってなんとかやってくれ」と言った。それがきっかけとなって、第三部の助監督をやることになったのです。

比嘉さんにはやっぱり鋭い直観があります。なにかが血の中にあると思う。ふつうビジネスだったら計算するでしょう。この監督と仕事をすると給料がナンボでとか。彼は一切計算しませんでした。計算していたらやれないことです。大重さんのシモの世話までを含めて。彼の仕事の八割は介護ですよ。助監督としての仕事は二割ぐらい。死んでいく人のケア、緩和ケアや終末期ケアをすることが主な仕事で、ふつう奥さんでも耐えられないぐらいのことを彼はやったわけです。それでさきほどのような直観にしたがって、イシキ浜に出かけ、映像に収めた。台風のシーンもすべて彼が一人で身体を張って撮ったのですよ。

彼の先祖がどこに住んでいたかと言うと、久高島の対岸の南城市の百名《ひゃくな》というところです。映画の中に、十人ぐらいの女性が踊りを踊っていたシーンがあるでしょう。あそこが百名で、そこにヤハラヅカサという拝所《うがんじょ》があるのです。ニライカナイから渡ってきたアマミキヨとシネリキヨという神々はまず久高島を訪れ、そのあと沖縄本島で最初に入ったところがヤハラヅカサ。ですから、久高島とヤハラヅカサはいちばん近いセイクリッド・ポイントなのです。その上のほうに斎場御嶽《セイファウタキ》がある。で、そのヤハラヅカサに彼のご先祖、比嘉家のお墓がある。わたしはいっしょに墓参りに行きました。珊瑚・石灰岩の岩場、そこにある洞窟のような、小型のに斎場御嶽のようなところが墓地になっている。海岸の近くです。一族にノロ、つまりシャーマンのおばあがいて、すごい霊能があったと言われている。そのおばあの墓がそこにあるのです。比嘉真人さんは東京生まれ、東京育ちだけど、たとえば大重さんなどは、アスファルトを十メートル掘ったら縄文、十五メートル掘ったら旧石器が出てくるとしょっちゅう言っていた。こういう感覚をもしわれわれが持てるなら、地面を掘ったら自分の時間をするっと遡ることができる。そして、おじいさん、おばあさんやその前の世代とシンクロできる。わたしは、比嘉さんはそういうご先祖さまとシンクロするリズムというか、整え方ができる状態になったと思うのです。だから沖縄にきて、大重さんと出会い、大重さんの遺作を最後まで撮って完成することができたのでしょう。

ハナムラ　やっぱり大切なのはさまざまな条件や環境のリズムに同期することですよね。先祖にも同期し、その場や自然のリズムにも同期し、大重監督の衰退していくリズムにも寄り添って同期することができた。介護そのものも、彼にとってはそれが映画を完成するのに必要なことだったのでしょう。

鎌田　それがなかったら映画は完成していませんね。だからこの映画は、命というものを深いところから言葉を超えて問いかける映像の力を持っているように思います。

ヤハラヅカサ

ハナムラ　ぼくが気になるのは、イザイホーのことです。十二年に一回、行われていた。それが最後に行われたのが一九七八年で、その次の九〇年には行われず、二〇〇二年にも、そして一四年にも行われなかった。十二年刻みのリズムがあるわけじゃないですか。このリズムが、いまもう三回、途絶えている。次はどうなるのだろうかと気になる。でも映画の中で、大重監督が最後に言った言葉がすごく象徴的だなと思いました。それは、「生きていることの証《あかし》が祭りである」という言葉です。彼はそのあと、やがて祭りは違ったかたちで現れるだろうと言っていました。つまりいま、十二年に一回のイザイホーの祭りが生きている証であって、十二年に一度のリズムを刻んでいるということは、それが一度途絶えてもまた違うかたちで復活するということを予言しているような気がしました。それはいったいどういうかたちで現れるのでしょうね。

一九七八年に一度切れてしまったのは後継者がいないせいで、ひょっとしたらこれで完全に途絶えるのかもしれない。ぼくらは次に新しくそれを乗り越えるために何かをしなければならないのか。そして、それは近代的な方法や、現代的な方法なのだろうか。だとすればいったい何ができるのだろうか。そうしたところにデザインの余地があるんじゃないか。そんな問いをずっと考えながら映画を見ていました。昔に戻ることはもうできない。ノスタルジアに浸るだけでは状況に対応できない。それを乗り越えるしかない。その方法とはいったいなんなのか。その一つの応答としてリズムと同期の話が、ぼくの中にある問いへの答えの一つの方向性ではないかと思っています。

鎌田　大重さんは、イザイホーはなくなってもいいという考えでした。なぜかと言うと、イザイホーは、ノロの制度も含めて尚氏《しょうし》王朝時代にできあがった。だけど、尚氏王朝以前から、島には漁労祭祀など、いろいろな祭りや祈りがあったわけです。それが王朝の王権システムの中で、イザイホーとかキコエオオギミとか、いわば沖縄的な天皇制のようなものが王権を支える制度としてできあがってきた。その制度に保護されながら、イザイホーは久高島という神の島で重要な意味合いや象徴性、体系性を持って維持されてきた。でもそれは王権の制度に守られてきたものなので、時代の流れの中で王権の崩壊とともに失われても、それはそれだと。だけど、祈りと祭りは途絶えることはないと、彼は確信していた。王権に支えられてきたイザイホーという仕組みは確かに途絶えたけれども、島に住んでいる人々の、女性も男性も祈り続け、祭りを行う心はずっと継続され、いまも新しい神人《かみんちゅ》が誕生している。やがてその中から、島にふさわしい新しい祭りの在り方が生まれてくるだろうということですね。

ハナムラ　大事なのは儀礼そのものじゃない。その奥にある心ですね。

鎌　田　それと地下水脈があるということですね。祈りの力とか、感謝とか、そういう人間の意識が重要で、結果として儀礼がある。それはかたちが変わったとしても、その心さえ失われなければいいんだという考え方だと思います。そして、大重さんは最後の場面にその心を込めたわけです。若い神人の女性が泣いている。その心の中に何かが芽生えているのを、大重さんは感じとった。ちょっと神がかりのような、シャーマニスティックなところのある女性が、泣きながら祈っていましたね。その女性から発信されてくる未来はいったいどんなものなのか。

大重さんはそこにとても感じ入るものがあったのだろうと思います。

ハナムラ　次に久高島がどうなっていき、何が立ち現れるのか、とても気になりますね。

（二〇一六年六月二十五日、大阪市東成区「ḃ」での『久高オデッセイ第三部　風章』上映会後の対談）

# 第8章

# 母なる地球《ガイア》

## †太陽の原理から月の原理へ

## 『2001年宇宙の旅』と『地球の告白』

ハナムラ　今日は千葉市美術館にお越しいただき、ぼくの『地球の告白』という空間インスタレーション作品の展示を見ていただいてありがとうございました。

鎌　田　ハナムラさんの『地球の告白』にはとてもインパクトを受けました。

前にも話しましたが、わたしは五十年前に自分自身の内部で自覚的に「聖地」というものに触れた。一九六八年三月二十日、十七歳の誕生日の頃、宮崎県の青島《あおしま》に行きました。青島に触れたとき、そこに強く聖なる場所を感じて、それから詩を書くようになった。高校三年生のときに寺山修司にそれを送ったら評価されて、そのほぼ一年後、一九六九年二月に、東京のテアトル東京という、当時シネラマといったワイドスクリーンのものすごく大きな映画館でスタンリー・キューブリックの『2001年宇宙の旅』を観たのです。今日はハナムラさんの『地球の告白』を拝見しましたが、わたしの中では『2001年宇宙の旅』的なスペースオデッセイ的テーマだと感じました。

ハナムラ　そうおっしゃっていただき、とても光栄です。

鎌　田　ぼくは『2001年宇宙の旅』を観て、ガツーンとやられた。というのは、ぼくは青島を日本列島の中の聖地として認識したのですが、キューブリックはあの映画で、地球全体が青島だということを描いていたからです。じつに象徴的に東から日が射してくるのですよ。青島も沖縄の久高島と同じで、ビロウのような南方の植物があり、いちばん大事なのは社殿ではなくて環境全体、つまり森と、それからあそこはサンゴが堆積してできた島なので、まさに地球の記憶、海の記憶といったものがあるのです。今回のハナムラさんの作品も、「記憶」と「記録」が一体化して、振り子の中で地球や時間、空間というものの全体を集積しているような作品だと思うのですが、まさにそういう場所が「聖なる場所」なのですね。

あの振り子が渡っている、その結節点のようなものが「聖地」だったのかもしれない。じつは地球全体が「聖なる場所」であるということを、スタンリー・キューブリックは『2001年宇宙の旅』で発信している。太陽があって、太陽から日が射してくる。モノリスがあって、その上に上弦の月がかかり、この視点で、地球と太陽と月とモノリスによって構成されている時空が、わたしの中ではぐるっと一体化して青島と結びつきました。それが今日、また別の角度でハナムラさんが作品化しているなと思いました。

ハナムラ　ありがとうございます。

今回の展示の経緯を少しお話しします。千葉市美術館から今回のお話をいただいたとき、同時に「1968年　激動の時代の芸術」という展覧会が開催されているということを聞きました。その展覧会の会期の最後の週に、ぼくの作品の展示をしたいということでした。

鎌　田　へえー、いまここで「1968年」展をやっているのですか。すごいシンクロ。

ハナムラ　別の階でやっているのです。寺山修司や赤瀬川原平などの当時の作品が展示されています。一九六八年は本当に激動の時代だったと思うのです。一九六九年に全共闘運動があって、七〇年に三島由紀夫の事件もあり、それと並行してベトナム反戦運動があったりして、違う時代に突入していく。そういう時代であったわけですね。もちろんぼくはまだ生まれていませんでしたが、この六八年という年はメルクマールになると、ぼくもこの話をいただく前からずっと考えていたのです。というのは、アポロ8号が月の周回軌道に到達して、そこで初めて「地球の出」という写真〔一七一頁〕を撮った記念すべき年だと感じていたからです。六八年に人類は地球から遠く離れて、初めて対象物として地球全体にまなざしを向けた。地球を初めて一つの惑星として相対化して眺めた年なのです。そこから半世紀経ったいま、この地球はどうなっていて、いったい何が起こっているのかということを、この作品を通じてあらためて考えたかったのです。

鎌　田　わたしが青島に行った一九六八年の十二月に、アポロ8号が月に行ったのです。アポロ8号に搭乗していた宇宙飛行士が月面に降り立った。キューブリックが『2001年宇宙の旅』を発表したのが、その約半年前の六八年四月。日本でも同時封切になったと思うのですが、わたしが観たのは一九六九年です。六九年は東京大学の入試がなかった年ですね。

ハナムラ　そうですね。全共闘運動の最盛期ですね。

鎌　田　わたしが高校三年生のとき、東大の入試がなかった。一九六九年も、大きな転換期でした。その年に高校を卒業したのですが、高校を卒業する前に東京に出てきて、『2001年宇宙の旅』を観ました。そのとき、キューブリックの神学と哲学と映像的イマジネーション、これはすごいと思った。あれを超えるSF作品はいまだに登場していないという感じがします。

ハナムラ　まさに壮大な時間軸の中で描いていますよね。今回の『地球の告白』のテーマの根底には「時」があります。地球が一回転すると一日が経ちます。その地球の自転を可視化する装置である「フーコーの振り子」を通して、時間というものを考えてみたかったのです。だから振り子の回転角度を示すために、真下に置かれた直径三・六メートルの目盛盤にはさまざまな時間の情報を刻みました。

目盛盤中央には北極から見た世界地図があり、その周囲の同心円にいろいろなタイムスケールに出来事を載せた輪をいくつも設けています。一番内側には四十五億年前に地球が生まれてから、一千万年前にアフリカの大地溝帯ができるところまでの「地球の歩み」を一つの輪にしました。その一つ外の同心円に、七百万年前に人類が誕生してから、八千八百年前に金属を精錬するところまでの「人類の歩み」を一つの輪にしました。さらにその外側の同心円には、紀元前三〇九二年から紀元後二〇一二年の間に起こった約五千二百年の六大陸の「文明の歩み」を刻みました。ちなみに、この約五千二百年間の出来事は二十年ごとに整理し、二百六十の時代に区分けしています。これはマヤ暦でいう約四百年を一単位とするバクトゥンという時代区

ハナムラチカヒロによる空間インスタレーション作品『地球の告白』

分をベースにしていて、それが十三回繰り返す「一時代」という時の認識を検証してみました。

では、そうしたこれまでのさまざまな歩みを経たいまの地球はいったいどうなっているのかという情報を、さらにその外側の輪に示しました。そこにはいまの地球が抱える五十二の問題を刻んでいます。「飢餓」「経済」「水」「教育」「医療」「戦争」「生産」「ゴミ」「精神」「エネルギー」「人口」「気候」「生物」の十三カテゴリーでそれぞれ代表的な問題を四つずつです。これまで四十五億年かけてこんなに壮大な紆余曲折を経た地球が、いまはこんなことになっているという現状を確認したかったのです。

その上で、その理由が果たしてどこにあり、何を変えねばならないかを作品全体で考えています。いまのぼくらのリズムが自然のリズムからどんどん外れていっている根底には、ぼくら全員が無意識にしたがっている「時計」という近代的なリズムがあるのではないかというテーマがあります。

## 地球は美しくなっている

鎌　田　わたしの友人に原田憲一さんという地球科学者がいます。昔でいう地学を勉強した人です。彼は、京都大学理学部の地学、地質学の大学院を出て、アメリカに渡り、それからドイツのマックス・プランク研究所に行って、その後、山形大学で地球科学の教授を務め、それを辞めて、京都造形芸術大学の教授となり、最近では、萩にある至誠館大学の学長を務めた。

一九八六年、伊豆大島の三原山が噴火しました。それから十年の節目の年に、その原田憲一さんたちといっしょに「御神火《ごじんか》と生きる」というイベントをやりました。伊豆大島では、噴火の火は「御神火」と言うのです。大島の神様の火。大島の山頂に大島三原山神社があります。その三原山神社で、わたしが聖なる火を点火してクレーターに奉じ運びました。火口の中には溶岩流でできたクレーターがあって、そのクレーターで大野焼き大会をしたのです。クレーターを窯に見立てて、専門家の指導を受け、そこに大島小学校や中学校の児童・生徒の陶芸作品、あるいは専門の陶芸家がつくった作品を入れて、伊豆大島特産のツバキの木を上から載せて、わたしが神主の装束で、火を下ろしました。そして、ツバキの木に点火して、翌朝、そこから作品を取り上げた。そういう大野焼き大会をしたとき、十年前の噴火を記念して伊豆大島火山博物館というのができていたので、そこで「御神火と生きる——火山のコスモロジー」というシンポジウムをやりました。パネリストは、原田憲一さん、文化人類学者の竹村真一さん、陶芸家の近藤高弘さんや地元の陶芸家の井上さん、そしてわたし。そのとき原田憲一さんが二つおもしろいことを言った。一つは、いままでキリスト教の神学者とか哲学者が神の存在証明をやってきた。神の本体論的証明、宇宙論的証明、目的論的証明など、いろいろな証明の方法を、中世のスコラ哲学や神学でやってきたが、これは埒が明かない難問の一つなのですね。フーコーの振り子も難問の一つなのですけど。

ハナムラ　自転を証明するという意味でしょうか。

鎌　田　ウンベルト・エーコの『薔薇の名前』（邦訳は、東京創元社、一九九〇年）に仕込まれた普遍と個物、実念論と唯名論という対極に立つ思想の論争といった類の難問。そんな中で原田さんは、神の宇宙論的証明ではなく、地球科学的証明をやった。つまり、火山やプレートなどができていく過程を、『古事記』などの日本の神々の生成の過程と結びつけて論じたのです。日本の神々はどういうふうに地球の生成とかかわって成立してきたかという地球科学の観点から、日本の八百万の神々の生成と同期させ、それを神の存在の地球科学的証明として出した。もちろんそれは原田さんの仮説ですがね。

もう一つは、「地質学者として地球を見ていると、地球は間違いなく美しくなってきている」という命題です。原田さんは山形大学を辞めて京都造形芸術大学教授として務めるようになり、多様かつ複雑になる地球の生成を美という観点に結びつけた。つまり、彼なりのメタノイアを実践し提示したのですね。それによると、地球は複雑性や多様性をどんどん進化させてきて、その中に、人間が住み着き、さらにいろいろな変化を惹き起こしてきた。もっとも、いまはその変化が臨界点まで達して、壊れかけているわけですが。

いずれにしても、そこまで多様に、複雑に変化してきたということは、間違いなく地球が美しくなっているということだと彼は言うのです。ふつう科学者の視点からすると、「美しくなる」というのは、評価軸にはならないじゃないですか。
ハナムラ　そうですね。美の問題は主観的であるとして、いまの科学では避けたがる議論です。
鎌田　科学というのはメカニズムの解明です。「美しい」というのは美学的判断なので、科学の領域を超えている。芸術大学にやってきた科学者としては、それまでの地球科学的証明はある種の神学と科学との間をブリッジする視点ですが、もう一つ、美術や芸術と科学をブリッジする視点として「美しくなる地球」という視点を提示した。そして、美術館は海底につくるべきだと言っていました。これから何百万年先のことを考えて、地上ではなくて、海底に美術館をつくるという構想を彼は持っていたのです。そのほうが長持ちするというのです。
ハナムラ　なるほど、それはおもしろい視点ですね。以前に鎌田先生とお話ししたときに、ぼくがジェームズ・ラブロックが書いた『ガイア——地球は生きている』（邦訳は、産調出版、二〇〇三年）という本に影響を受けて、生命環境科学の道へ入ったお話をしたと思います。ラブロックは、地球は一つの生命、有機体であるという「地球有機体仮説」を唱えるのですが、それまでの地球モデルは、地球を機械として見る工学的なモデルだったのですね。ラブロックは地球を生命として見ようとした。一つの惑星を生命つまり有機体として見たときに何が言えるのかが述べられていました。
　ぼくは高校生のときにその本を読んで、とても感銘を受けました。だから「ガイア」のようなことを研究したいと思って生命環境の道に入ったのです。元々はそういうモチベーションを持っていました。

鎌田　それは何年頃ですか。

ハナムラ　一九九五年とか九六年あたりです。

鎌田　一九九五年ですかあ！

ハナムラ　阪神・淡路大震災の年ですね。

鎌田　それが高校生のときですか。

ハナムラ　高校生のときです。

鎌田　じつは、一九九一―九二年に、龍村仁さんが、『地球交響曲《ガイアシンフォニー》』という映画の「第一番」を発表しました。わたしは「第一番」の制作にかかわっていて、エンドロールに名前が出ているのですけれども、そのとき、龍村さんは「地球《ガイア》の声が、聞こえますか」というキャッチフレーズで宣伝をしたのです。その地球の声を聞き取っている人々を何人か取り上げて「第一番」を制作した。それから「第二番」「第三番」「第四番」……と制作していく。その「第四番」に、ジェームズ・ラブロックが出てきました。「第四番」は二〇〇一年制作です。だから、ハナムラさんが高校生でラブロックの「ガイア仮説」を読んでいる頃、龍村さんが『ガイアシンフォニー』を次々と制作し、そこにラブロックが登場しているわけです。

ハナムラ　そういう時代だったのですね。成長を遂げていた経済がどうにも行き詰まってしまった後、エコロジーの問題も登場していた時代ですね。

鎌　田　一九九二年、ブラジルで「地球環境サミット」（環境と開発に関する国際連合会議）があった。その後ですね。

ハナムラ　そうです。だから、地球環境の問題を考えなければならないというムードがあった時代に、ぼくは大学に入ったのです。そこからさらに芸術や哲学、人間の精神についての学問に寄り道していきますが、動機の根底にはそうした問題意識がずっとあった。だから、いわゆる地球の話とかエコロジーの話、われわれが住んでいる母なる星がいったいどういう歩みを経た場所で、これからどうなっていくのかを自分の表現を通してもう一度考えたいと思って、今回の作品に至ったのです。

さっきのお話で、「地球はどんどん美しくなってきている」というのは、今回、年表を整理していて、ぼくも感じていました。無機物しかなかった地球に真核生物が現れて、そこから多細胞生物が出て、五億年前にカンブリア爆発があって、いろいろな生物が登場します。魚類が生まれ、爬虫類が生まれ、恐竜や哺乳類へと進化して多様性が増していく。まさに人体が、それぞれ同じ一つの細胞から始まり、細胞分裂を繰り返すことで、胃になったり、脳になったり、骨になったりするように、どんどん多様性が出てくる。そうした生命の話と密接にリンクしている。こうした多様性が増していく現象を捉えるには工学的な発想では難しいのですね。

## ホリスティックな思考を取り戻す

ハナムラ　バックミンスター・フラーという研究者がいるのですけれども、彼は工学的な発想で「宇宙船地球号」という概念を主張した。それから五十年経って、地球へのまなざしを工学的なものから生命学的なものへと代える必要があるように思うのですね。機械を修理するという発想ではなく、生命として捉え、地球の処方箋を考える方法。地球全体の風水であったり、東洋医学的な治療の仕方みたいなものができないかということを考えています。

鎌　田　バックミンスター・フラーは、プラトン立体をつくった人ですか。

ハナムラ　はい、つくったというより研究していました。

鎌　田　あれは地球を何面体として見たのでしたかね？

ハナムラ　正二十面体です。

鎌　田　それはまさにメカニズムですね。幾何学的に地球を捉える。一つのメカニズムの極をフラーは打ち出したわけですが、フラーはフラーでとてもおもしろいと思います。フラーの設計したフラーハウスを見たことがあります。

ハナムラ　ぼくも建築家の中ではフラーがもっともおもしろいと思っていて、フラーの研究を始めています。

鎌　田　それに対して、生気論というか、有機体論的に、全体をホリスティックにどう捉えるかという視点は、古代から一つの考え方としてあった。メカニカルな思考とホリスティックな思考というのは、唯物論と観念論のように、二つの対立する流れとして何千年も持続してきましたね。

わたしは、ホリスティックな視点を子どものころから持っていたので、青島と地球が一つであるとか、太陽系の中で、メカニズムだけではなく、それを超えて宇宙気流学や宇宙生態学などによって捉えられる現象があり、そうした中で生命が誕生し、進化してきたのではないかと考えてきた。

わたしが小学校のときにいちばん好きだった学校空間、ファンタスティックに思っていたのは理科室です。理科室は、たまにしか行かない非日常的な空間で、そこに古生物史の年表と絵が貼り巡らされていた。進化論的に見た『鳥獣戯画』といった、一つの生物絵巻ですね。最初は細胞が分裂して複雑になっていって、脊椎動物から恐竜が登場してきて、やがて哺乳類から霊長類の時代になったり、進化過程でいろいろな生物が生まれてくる。それが絵巻物のように描かれているのが非常に楽しかった。ここには歴史と科学が一体化しています。さきほど、ハナムラさんが芸術で寄り道をしたと言ったけれども、寄り道ではないと思うのです。ランドスケープも本道だと思うのですが、芸術もやっぱり本道で、この芸術と科学の両方を融合させるというか、ホリスティックに捉えるという視点が、これから本当に必要な仕事の一つだと思います。

ハナムラ　おっしゃるとおりです。さっきのメカニカルに細分化していく発想と、全体をそのまま全体として捉えるホリスティックな発想とは対極にありますね。

鎌　田　ガイア仮説はホリスティック。

ハナムラ　ガイア仮説もそうですが、フラーもメカニカルな視点と非常にホリスティックな視点との二つの視野をもって工学を捉えようとしていたと、ぼくは考えています。今回の作品をつくるために歴史を整理しながら考えたのが、この五千年ぐらいの人類の思考法としておおむねメカニカルに細分化していく方向を目指して進んできたのかもしれないということです。それ以前のアニミズムの時代は、それよりもホリスティックに捉えていたと思うのです。なぜこうなったのか、その原因はいったいどこにあるのだろうかを作品では考えてみました。

鎌　田　ピラミッドにしろジグラット（神殿）にしろ、精密に幾何学的な方法で計算しないと絶対にできない。

ハナムラ　そうなんですよね。その計算の前提にあるのはいったい何なのかというのが、今回の作品の中心です。それで発見した答えが、「時計」のリズムです、時の刻み方。

鎌　田　暦をつくる。

ハナムラ　今回、振り子の下に設置した日盛盤のいちばん外側は暦を示しています。その暦はいまぼくらが普通に使っている暦ではありません。いま使われている暦は「グレゴリオ暦」と呼ばれ、一五八二年にグレゴリオが設定したものです。この暦もまったくのオリジナルではなくて、その前からある「ユリウス暦」や、その前のエジプトの暦など、いろいろな暦を下敷きにしているわけです。では、いったいどこが暦の発祥なのだろうかという疑問に行き着きました。一日を二十四時間に分けて、一時間を六十分に分け、一分を六十秒に分けるという、この24、60、60の進み方。これは自然の中で他の生命が使っているリズムではなく、人間だけが共有するリズムです。それがいったいどこで決まったのかという疑問です。

はっきりとした起源はわからないのですが、どうやらシュメールのあたりで決まった十二進法、六十進法がベースになっているらしいのです。その刻み方がおそらくメカニカルな思考の基礎であり、どうやらいまの文明の「発展」という思考の下敷きになっているのではないかと思い至りました。そのリズムをベースにしたこの五千年間、文明は拡大の方向へ進んでいくという発展の思考だったのですけれども、そもそも自然のリズムではないので、ズレてきている。たぶんこれから先の時代はこのリズムでは駄目で、もう一回ホリスティックな思考で自然のリズムに戻していく必要がある。そのための機軸となる数字やリズムはいったいどういうものかを探ろうとした作品でもあるわけです。

その中で一つ検証してみたかったのが、マヤ文明の13と20というカウントの仕方です。マヤ人たちはなぜか13という数字に惹かれた。その根拠の一つに、地球が太陽の周囲を一周する間

国を追われた難民は 6,550 万人
その 84% の避難先は途上国
9カ国に 15000 発の核弾頭
91%はロシアと米国が保有
意識の周期 =90 分
1/16 自転
身体の周期 =23 日
1/16 年
October
14 15 16 17 18 19 20 21 22 23 24 25 26 27 28 29
1 2 3 4 5 6 7 8 9 10 11 12 13 14

『地球の告白』の文字盤

に月が地球を十三回巡ることが挙げられます。本来は一年は十三カ月なのです。それにちなんで、この作品の目盛盤は十三個に分割できる盤面になっています。十三カ月になっている太陰暦を示すために十三枚が十三カ月になっているようにしたのです。前に鎌田先生と対談したとき、ぼくのつくった宇宙の図の中に月が入っていなかった。それを見て鎌田先生が、「この図には一つ抜けているものがある。それは月だ」とおっしゃったのを聞いて、「あっ、確かに」と思ったこともきっかけの一つになったのかもしれません。

鎌　田　わたしは満月の夜に作家の一条真也さんと文通しているので（笑）、ずーっと月ばかり見ている。

ハナムラ　それから月のことを含めて考えるようになりました。今回の作品では、一年を十三カ月にした「月の暦」が最後の輪に刻まれているのです。沖縄では大事な祭りや行事は全部月の暦で決まっているという話もありますし、旧暦も十三カ月あります。そうした月のリズムがホリスティックな理解に大切なのではないかと思っています。

## 月のリズムで考える

鎌　田　太陽とメカニズムは、けっこう結びつくと思っているのです。夏至と冬至で太陽のラインが確定する。振り子の幅の、北東と東南から日が差し昇ってくる。これは計測すればわかる。そして、沈んでいくときは、西北と西南のほうに沈んでいく。冬至の日と夏至の日。それから春分と秋分という「分」のときと「至」のときがあって、太陽の運行によってはっきりとわかりますね、二至二分。

縄文人にとっても、太陽の運行のラインによって、縄文ビレッジをどういう位置につくるかという発想がある。縄文時代のストーンサークルとかウッドサークルも、そういう光の計測、太陽の計測とかかわっていると思います。

そしてもう一つ、太陽の計測から、さまざまな幾何学的な図形を生み出すことで、ピラミッドのようなもの、あるいはメソポタミア、シュメールで言えばジグラットのような巨大神殿をつくることができた。その暦も全部「分ける」という発想なのですね。要素に分けて分割していく。

ところが、月というのはグラデーションです。毎日毎日微妙に変化しているものですから、これは一定に分割するという発想にはならず、やっぱり循環なのですね。だから、月とホリスティックな視点は常に結びつき、象徴的にも「月と女性」になり、「太陽と男性」になり、太陽がロジカルな世界、メカニカルな世界を象徴しているとするならば、月がムーサやムジーカ、つまり音楽であるとか、芸術であるとか、ホリスティックなもの、生態系的なもの、生命の運行などに象徴的にかかわってきた。これは、人類史的なアイテムです。

ハナムラ　まさにそうですね。12と60というのを決めたのが五千年ぐらい前だとしたら、この五千年間ぐらいは男性原理、太陽の法則で動いてきた時代なのではないか。ただ、その発展のリズムがもうかなり行きづまってきて、さまざまな問題が噴出している。確かにいまぼくらは数百年前に王さまがしていたような生活よりももっと豊かな生活を享受しているかもしれない。そういう意味では人間だけは豊かになっているのかもしれませんが、一方で、それが自然のリズムとだんだん合わなくなってきているのではないか。それは自然の美と調和に反しています。

鎌　田　醜くなってきているのですよ。

ハナムラ　そう。それで、今度の作品に地球の環境問題や社会問題のことを記しました。地球全体を客観的に見ると、発展と拡大という生産するリズムが過剰になりすぎて、とてもおかしな状況になっている。

なぜそうなっているのか、ぼくらの拡大していく思考を無意識に動かしているものとは何か。その原因として、ぼくらが当たり前に使っていて、もはや見えなくなっている「時計の時間感覚」があるのではないかと思い至りました。日時計がわかりやすいのですが、時計の時間というのは太陽の運行という空間で分割して計測しているのですね。でも、時間を客観的な空間分割で捉えることにそもそも限界があります。本来、時間の感覚というのは、ぼくらの主観的な意識と結びついているのではないか。だから時間を前進していくものとして捉えるのではなく、周期やリズムの中で捉えるべきなんじゃないか。そう考えると、宇宙にはさまざまな周期があり、そうした複数の自然の周期はどういうリズムを刻んでいるのかも今回の作品の目盛盤に入れています。

その中でもっとも大きすぎて見えない重要なリズムとして、「地球の歳差運動の周期」があると考えています。歳差運動とは約二万五千八百年で地球の地軸がコマの軸のように一回転するという運動です。そのリズムがさまざまなことに影響しているということをユングなども述べています。そういう大きすぎて見えない惑星のリズムと、身体の中の微細な神経が刻む○・一秒単位の動きという、小さすぎて見えないリズムとの間で、われわれは生きている。

でも自然のどこにもない「時計の周期」に、ぼくら全員が同期して生きているということが、この文明のリズムを狂わせている根本になっている問題なんじゃないか。そんなことを考えたかったので、地球の自転周期を可視化する振り子の下に、さまざまなタイムスケールや周期を刻んだ目盛盤を同時につくりました。

鎌田　周期にはいろいろな周期がありますが、重要な周期に食べ物の周期があると思うのです。わたしは今日、さきほどまで諏訪にいたのですが、諏訪の御柱《おんばしら》のある上社の前宮に風が吹いてきた。すると、黄色い銀杏の落ち葉が一斉に波のようにさーっと御柱のところに流れていった。それがあまりにも神々しく、その素晴らしい光景を今朝見てきました。

そんな木に、栗やドングリなどいろいろなものが実り、クマがそれを食べて、冬眠をし、春になったらまた目覚める。つまり、食物連鎖というのは一つの周期を成していて、地球の生態

諏訪大社の御柱（上社里曳き建御柱）

の実りと、動物や植物の生態とがうまくつながっているということを生命的に実感できますね。サケが遡上してくることとか、それをクマや人間が獲って食べるとか。

そんな食物連鎖の中に生態周期が内在化されているのですが、つい十日ぐらい前に、とんでもないニュースに遭遇しました。NHKの番組でしたが、人間の血液からプラスティックが出てきたというのです。

ハナムラ　いわゆるマイクロ・プラスティックですね。

鎌田　そのマイクロ・プラスティックは、小魚が食べる、イワシが食べる、ブリが食べる、クジラが食べる。そんな食物連鎖を通して、いろいろな生物の中にマイクロ・プラスティックが入っている。それを人間が食べるから、当然人間にも入り込んできている。それが分解、溶解できずに溜まっていく。それが生態系にどんな影響を与えるか、これが今後、大きな問題点になってくる。つまり、地球の循環によって分解されたり溶解されたりしないものも、人間はつくり出してきました。それまでは、生命周期や生命リズムの中でうまく循環し、バランスが取れていたので、地球は美しくなっていた。しかし、バランスがとれない部分までも人間はつくり上げてきたので、それをいったいどういうふうにこの循環において仕込み直すことができるのかという課題ですね。

ハナムラ　まさにそこなのですよね。今回の『地球の告白』にはプラスティック問題のデータも載せています。いま年間に最大で約千二百万トンのプラスティックが海に流れ込んでいます。そして、いまや日本の国土の四、五倍の面積にまで広がったプラスティックゴミが、太平洋にゴミベルトになって浮遊しているのです。もう回収もできないぐらい膨大になり、手の施しようもない。見えないほど細かくなりすぎたプラスティックゴミが、食物連鎖を通して細胞の中にも入り込むぐらいになっている。

つまり、あらゆる意味でこの文明の生産が過剰になったのです。廃棄できないぐらい物をつくり過ぎています。この五千年間、したがってきた時計のリズムは、前進していくリズム、発展していくリズムなので、物をつくり、拡大させていくことは得意です。それが文明を発展させてきたわけですが、それが行き過ぎて、いまではもう生産過剰で、オーバードライヴしてしまっている。そのために、処理できないようなゴミがいっぱいあるのだと思います。

それをどうやって減らしていくのか、いかに自然の循環の中に戻していくのか。それを根本から考える場合、テクノロジーやシステムの前提である、時計のリズムがぼくらの無意識に潜んでいる以上は、難しいのではないかと思っています。そこに周期の考え方とか、女性原理のようなものをどうやって持ち込むのかということを、今度の作品をきっかけにみなさんと一緒に考えたかったのです。

## 縄文文化はまたやってくるのか

鎌　田　諏訪に行っていたこともあって、その循環の視点とつなげて考えたいのですが、地質学的に言うと、諏訪は日本のプレートの十字路の切っ先、交叉点のど真ん中のようなところにあるのですね。つまり、フォッサマグナが糸魚川のほうから太平洋まで南北に縦断していて、中央構造線が東西に走っている。その交点のあたりに、諏訪湖や諏訪大社があるわけです。そして、北米プレート、ユーラシアプレート、フィリピン海プレート、太平洋プレートが重なっていくところでプレートが潜り込んでいく。関東地方は非常にデリケートな部分で、潜り込んでいくプレートの寄せ集めのようなところですから、とくに伊豆あたりは火山が多い。それから、日本海溝の周辺でも、南海トラフのあたりでも地震が多い。新潟も分断されているので地震が多いのですが、その交差するところに層があって、そこに八ヶ岳があります。八ヶ岳と富士山が見えるところが諏訪のあたりなのです。両方が見えるのですよ。その前宮のところから八ヶ岳はよく見える。

この前、「縄文――一万年の美の鼓動」という展覧会が東京国立博物館でありましたが（二〇一八年七月三日―九月二日）、素晴らしい展示でした。縄文の土偶でもっともよく知られている最古の国宝が、八ヶ岳近くの茅野の棚畑遺跡というところから出た「縄文のビーナス」です。

ハナムラ　有名な土偶ですね。

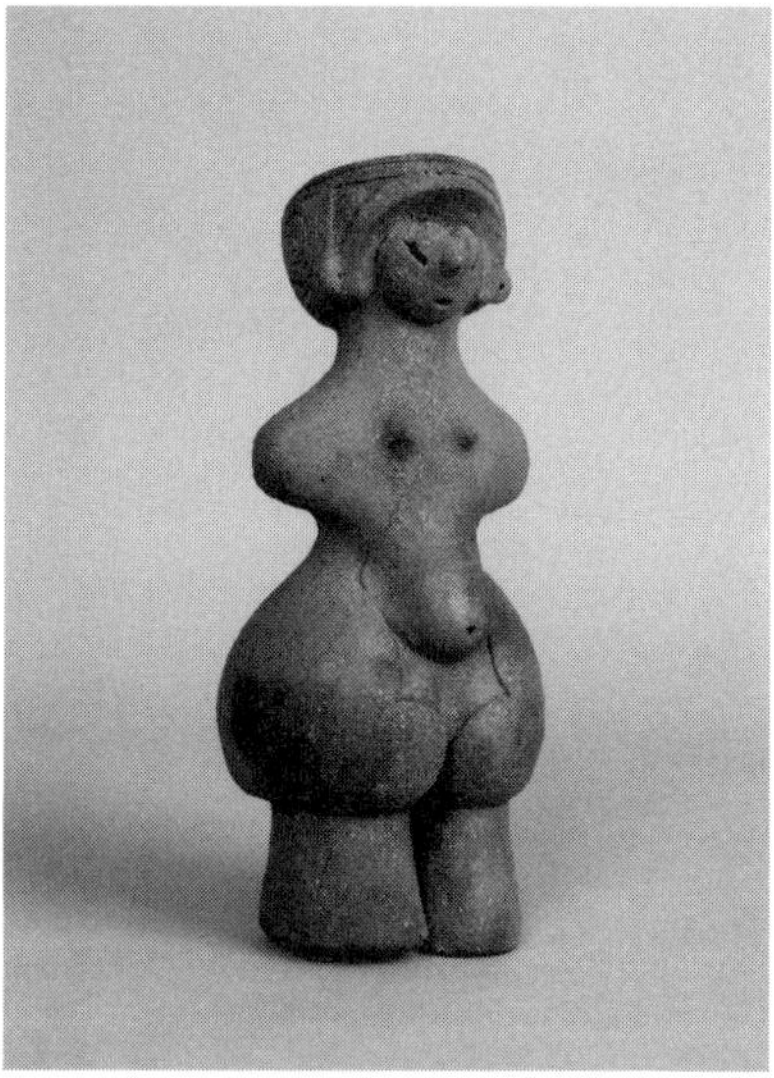
「縄文のビーナス」

鎌田　頭が輪のようになっていて、その輪っかが膨らんで、腰が大きくて、でっぷりしている。ウエストはくびれているのですが、お尻は大きい。そんな「縄文のビーナス」と、もう一つ、近くの中ッ原遺跡から出た「仮面の女神」、頭が三角形になっていて、ガンダムのような恰好の女神です。

そんなよく知られていて、人気のある土偶が、八ヶ岳の周辺、諏訪周辺の

「仮面の女神」

縄文遺跡から出ている。茅野市尖石《とがりいし》縄文考古館に行きましたが、そこの展示を見ると、諏訪湖から八ヶ岳、富士山のほうに向かって縄文の遺跡が密集しているのです。縄文時代で言えば、人口密集地帯。そこで、土偶や、新潟のほうの火焔式土器など、どれも複雑な波打った文様を描いている。東京国立博物館の縄文展で、第四ゾーンだったか、縄文中期の土器と、同時代の五千年ぐらい前の世界中の土器とを比較展示していました。外側にピラミッドの頃の世界中の土器を展示し、真ん中に縄文土器を展示して見比べられるようになっていた。それを見て、わたしはびっくり仰天しました。というのは、あまりにも違うから。縄文の飾り、装飾があまりにも異様なのですよ。なぜ、そこまで異様なものが出てきたのか。それは、プレート運動を含む「美しくなる地球」の日本列島が、砂漠地帯などとは違って、多様性の極致のようなところに集約されていたことから始まっているのです。五千年ほど前、とくに縄文中期から後期にかけて、圧倒的な生産力でそういう土器が生産されている。それは芸術性を超えて、生命の躍動と言ったほうがいいようなものですね。

ハナムラ　鎌田先生とこういったテーマで対談をさせていただくと、鎌田先生は宗教の立場から話をなさり、ぼくはランドスケープデザインとか生命環境の視点から話をするのですけど、その接点として地球の中の特殊な地理ポイントの話になることが多いですね。人体の中にツボと呼ばれる特殊なポイントがあるように、ある地理的な位置で、ある文化が芽生え、それが時代のイニシアティブを取るというようなことがあると思います。

鎌　田　間違いなくありますね。

ハナムラ　東洋医学の経絡《けいらく》などを含めて、ホリスティックに捉えたとき、人間の身体というのは、どれも同じポイントではなく、その中には確実に特殊なポイントがある。同じことが地球についても言えると考えると、諏訪とか、あるいはその他の特殊な大地の力を持っているところは、文明が発達したり、人が集まってきたり、何か大事な価値観が生まれたりする場所なんだろうと思うのです。文明研究家の村山節《みさお》（一九一一―二〇〇二年）が唱えていたと思うのですが、約八百年周期で文明の中心となる場所が移り変わっていくという説があります。

鎌　田　八百年周期ね。

ハナムラ　八百年周期は半期で、本当は約千六百年周期で文明の中心点が地理的に東へ西へと交互にスピンしていくという考え方らしいです。最初、シュメールから始まって、インダス文明のあるモヘンジョ＝ダロあたりに移って、またメソポタミアに戻って、また東の中国に移って、次は西のエジプトやギリシャに移って、最後にロンドンに移ってというように、文明の中心となる位置が周期的に移動すると、その説では考えられています。空間的な特異点だけでなく、時間的な特異点と重なるところに活力が集まり、そこで生まれた文化が時代を支配するという説です。それによると次はどこにくるのか。

その村山節の八百年周期を受けるかたちで千賀一生《ちがかずき》という人が「ガイアの法則」という自説を展開しています。そこでも文明の歴史は千六百十一年間を一単位として、最優位な文明極点が経度二二・五度ずつ東西の両方向に移動する動きがあり、その節目となる位置に新たな文明が開花すると村山の説を踏襲しています。その理屈に基づくと、直近の八百年間は経度〇度に設定されたロンドンがその節目にあたり、支配的な価値観だったということだと。その節目が一九九五年に東経一三五度の日本にきたとそこでは主張されています。この理論が本当に正しいかどうか、議論の余地は大いにあると思っていますが、それを検証する意味も含めて、一応、今回の作品の日盛盤の地図に重ねた周期として表現することにしました。

つまりぼくの関心の一つは、地球全体をホリスティックな生命だと捉える視点です。生命だとすれば、独自のリズムを刻んでおり、そしてどこかに特殊な地理的ポイントがあるのではないかということです。そのリズムと位置が交差する場所が聖地になっていくのかもしれないと思っています。

そういう意味で言うと、一万年前にも日本が特殊な場所だった時代があったというのは興味深い話だと思っています。さきほどの理論で正確に言うと一万二千年前かもしれませんが、ちょうど縄文ぐらいではないでしょうか。日本列島はユーラシア大陸の東端であり、太平洋とも出会うところですので、多様性のある地理的ポイントになっている特殊な場所だと思います。だからそこで生まれた芸術が、明らかに、ほかの場所の芸術とは一線を画す特殊な価値観のもとに表現されているというのは納得のいく話だなと思います。

鎌　田　東京国立博物館で催された縄文展は、その展示の半分以上が、いまパリでやっている縄文展に行っているそうです。だから、茅野市尖石縄文考古館の二つの国宝、「縄文のビーナス」も「仮面の女神」も、いまはパリです。パリでは、いまから二十年ぐらい前に縄文ブームがあったのです。エッフェル塔の下に日本文化会館ができた頃、縄文展がありました。パリの人というのは、芸術的なセンスも、そういう形態に関するセンスももちろん世界中でいちばん鋭い。パリとローマはすごいと思う。そういう中で、縄文の美をヨーロッパでいち早く評価し、見抜いたところがパリですね。さすが岡本太郎がいたところです。それから二十年経って、もう一回日本の縄文美が、今度はどういうかたちでいまのパリにインパクトを与えるのか。ロンドンでもその後、縄文展が行われましたけれども、美を見抜く力は、やっぱりロンドンよりもパリにある。

ハナムラ　フランス人は得意かもしれないですね。

## 女性原理の時代ふたたび

鎌　田　これから先、八百年のポイントが日本に移るとするならば、大航海時代が終わって、産業革命が興り、ロンドンが産業革命をベースにした機械工業で世界を支配し、それに金融とかいろいろなものを載せてきましたが、次に日本がどういうコンセプトや哲学で転換点をもたらすのでしょうか。そういう哲学、コンセプトが重要だと思います。

ハナムラ　本質的な疑問ですね。

鎌　田　それがなければ、普遍性がないじゃありませんか。ただ日本を持ち上げるようなものだと、意味がないわけですよ。そこに世界全体に通じるような普遍性のある哲学が何かしらないと、それは共有されないと思うのです。

ハナムラ　おっしゃるとおりです。それはさっきの周期の話にヒントがあると思います。もしさきほどの理屈が正しいとすると、いまの世界の支配的な価値観とは、ヨーロッパ、とくにロンドンを中心に西暦一二〇〇年あたりから、この八百年間培われた価値観ということになります。十九世紀はイギリス、二十世紀はアメリカが時代の価値観の中心でした。いま世界の共通言語は英語ですし、基軸通貨は米ドルでしょう。アメリカというのも、イギリスの価値観の変形バージョンですので。

鎌　田　そうですね。いったいですね。

ハナムラ　だから、イギリスの価値観でこの八百年は進んできたわけです。もし、これから八百年が日本の価値観で進むとすれば、さっきの周期の話ではないですけれども、男性原理に振れてしまったものが、もう一回女性原理に戻るということかなと考えています。

つまり、周期的に振幅しているわけですね。陰と陽が行ったり来たりしているように、陽のほうに振れてしまったものを、今度は陰のほうに振るような価値観が出てくる。それは、メカニカルな視点ではなく、ホリスティックな視点だし、男性の視点ではなく、女性の視点だし、太陽の視点ではなく、月の視点なのではないかと、ぼく自身は思っています。

そういう価値観が日本から台頭してくるはずなのですが、日本人がそれをちゃんと意識できるかどうかが非常に重要だと思うのです。日本がずっと培ってきたような美学とか価値観の中にたくさんヒントがあるはずなのに、いま日本はなお西洋になろうとする指向性が強いのではないか。そして逆に西洋人のほうに東洋に向かう指向性が現れ始めている。人は自分の生まれた近しい文化は当たり前すぎて見えなくなり、遠いところを目指して進んでいこうとする性質があると思います。だから日本人はどちらに世界が進んでいくのかをしっかり自覚するべきなのだろうな、それを自覚してほしいなという願いがあります。とくにぼく自身は日本の血を受け継いでいないからこそ、そう期待してしまうのです。

鎌　田　そういう意味で、八ヶ岳とか諏訪をもう一回見直すというのは、一つのおもしろい視点になり得ると思います。御柱のようなものを立てる文化がどこからきたのかということも一つの謎ですけれども、ランドスケープ的に、あるいは風水的に言うと、ほぼ真東に日立の鹿島神宮があるのです。鹿島神宮から西のほうにラインを延ばすと諏訪大社がある。鹿島の神タケミカヅチと諏訪の神タケミナカタは出雲で戦って、タケミナカタは敗れて、六百キロメートルぐらいフルマラソンをして諏訪湖に行き着き、「もうここから絶対に外へは出ません」と言った。これは『古事記』に描かれています。

これはなぜなのか。どうしてタケミナカタは出雲から諏訪まで逃げて行って、「ここから出ません」と告げるという物語になったのかと不思議に思っていたのですが、諏訪は完璧に陰の地なのですよ。出雲は、伊勢からすれば陰ですよね。だけど、その出雲からしても、諏訪はさらに奥の院のような陰なのですよ。

ハナムラ　そうとう陰ですよね。

鎌　田　というのは、タケミカヅチが太陽の差し昇ってくる日立でにらみを利かせていて、その西に諏訪湖があり、八ヶ岳というまさに月の文化・文明が栄えた縄文的なもの、ここには守矢《もりや》という一族がいたのですが、その上にタケミナカタの部族がのっかって、いまの諏訪大社的な信仰圏ができあがっていくわけですね。

その陰にしても、何層か堆積している。中央は基本的に天皇中心になっていて、太陽になり、天皇になり、日立、タケミカヅチ、鹿島になり、その鹿島の神さまが春日大社の神さまの第一殿に鎮座する。山で言えば、日本の代表となるのが富士山ですよね。その富士山に隠れた陰の山が八ヶ岳。だから、日立から富士山、伊勢というラインが日本における表の文化で、これが天皇を中心にした、ある種、日本型男性原理をつくり上げてきたとするならば、諏訪とか「縄文のビーナス」の八ヶ岳のあたりから出雲へというのは、陰を含み持っている女性原理として今日まで伝えられている月と再生の循環の伝統があると思います。

ハナムラ　そうですね。だから、日本人を再確認する上でも、これまでの聖地というものを再度見直さねばならないと思っています。そしてさらに日本という枠組みを越えて、われわれ人類だけでなく、すべての生きとし生けるものが暮らす地球全体を聖地として再度まなざしを向け直すことがヒントになるのではないでしょうか。今回の『地球の告白』という作品は、四十五億年の地球の歴史、一千万年の人類の歴史、五千年の文明の歴史を経て、いまの地球がどういう状態でいかなる問題を抱えているのかについての見取り図を目盛盤に示しました。その上で、ぼくらがしたがっている時のリズムを変えていかねばならないというメッセージを込めたつもりです。今日は触れませんでしたが、作品では自らが地球という大きな生命の一部であることを意識して、いまのこれまでの自分の生き方を見つめ直せるような仕掛けも入れています。来場者一人一人が音声を聴いて自分の心の中を見つめ直し、向き合ったことを手紙で告白してもらう部屋です。地球の問題を本当に解決したいのなら、まず「わたし」の問題を解決しなければなりません。一人一人がもう一度、まなざしを地球の外に設定して、自らの生命のリズムと自然のリズムとの同期を思い出さねばならないのだと思います。

（二〇一八年十一月四日、千葉市美術館での空間インスタレーション作品『地球の告白』を巡る対談）

# おわりに——Eの問題

ハナムラチカヒロ

「このままでは地球は長くはもたないのではないか——」。この警告はすでに五十年も前に発せられている。一九七二年に出されたローマクラブの「成長の限界」という研究報告には、地球の許容量に比べていまの文明があまりに多くの課題を抱えていることはすでに指摘されていた。それから半世紀近く経ったにもかかわらず、地球が抱える問題は一向に解決しそうにない。二十世紀には、わたしたちにはまだ解決すべき問題とは何かが見えていた。豊かになるためにどの政治経済システムを採択すべきか。核戦争による崩壊のシナリオをいかに回避するのか。疫病や飢餓の問題をいかに解決するのか。そうした人類の抱える難問は今世紀に入り、おおむね技術的に対処可能な問題になりつつある一方で、地球の状況は好転しているようには見えない。

いやそれどころか、この二十年ほどの間に人類の問題と絡み合った諸問題はどんどん複雑化し、もはや何がどう関係しているのかを把握することが難しいという状況が生まれている。これまでに幾多の社会システムの改良やテクノロジーのイノベーションが起こってきた。それにもかかわらず、問題はますます深刻になっていくように見える。二〇二〇年を迎えたいま、「もう何をやっても地球は長くはもたないのではないか——」という想いが誰の頭の中にも浮かび始めている。

この複雑な問題を考える上で、「地球 Earth」の頭文字にちなんだ「Eの問題」を見取図にして追いかけてみたい。あらゆるスケールで海や大気や土壌が汚染する「Environment 環境」の問題。その結果として生命のネットワークシステムである「Ecology 生態系」の崩壊が深刻化しつつある。それは過剰な生産と消費を基本とするライフスタイルを維持するのに必要な膨大な「Energy エネルギー」の問題であり、言い換えると「Electricity 電気」の問題である。科学的に言うと無限に拡散していく「Entropy エントロピー」の制御が本質的な問題である。

一方で「Economy 経済」の仕組みは、富が富にますます集中するようになっている。行きすぎた格差を生む資本主義に対して「Equality 平等性」をいかに担保するのか、「Equity 公平性」をどのように定義するのか。その問題は、平等や公平をどの立場から眺めるかによって答えが異なる。グローバル化する世界では、観光を中心に移民や難民を始め、膨大な人々が国境を越える「Exodus 移動」が起こっている。そんな中で、「Ethnicity 民族性」を中心に、それぞれの立場から「Exclusion 排除」が起こり始めている。特にこの数年は高まるナショナリズムやテロの勃発の中で「Enemy 敵」が意識され、軍事的な圧力も再び高まる一方だ。

確かに「Electrical communication 電子情報技術」の台頭は、地理的制約を越えて個人の自由なつながりと簡単な情報発信を可能にした。しかしそれは同時に孤独と混乱も生み出した。それまでの「Ethics 倫理」が徐々に機能しなくなる中で、「Evidence 証拠」の確認ができないショッキングなフェイクニュースが膨大にあふれている。嘘が日常化していく状況に馴れてしまうと、事実に基づいた理性の判断ではなく「Emotion 感情」だけを判断基準にしがちになる。そんな状況に「Education 教育」はまったく追いついておらず、なにを拠り所にすればよいのかと、わたしたちはうろたえ、心の中は「Emptiness 空虚感」に満ちている。一つの「Expertise 専門技術」だけでは解決どころか問題自体も見出せない。つまるところ、わたしたち人類と文明が次にどのような「Evolution 進化」を遂げるのかが問われていることだけは確かだ。

いったいなぜ、こんなにも複雑な問題が次から次へと出てくるのだろうか。わたしたちはどこで何を間違えたのだろうか。人類が一つに絞り込んだ社会システムは、三十年を待たずしてもう機能不全に陥っている。だが、いまの文明にはもはやオルタナティブが用意されていない。

一方で「持続可能な開発」という題目だけは勇ましく唱えられ、世間は大騒ぎしている。しかしその〝持続可能〟がいったい何を意味するのかははなはだ疑問だ。持続とはどういう状態を指すのか。今日の政治経済のシステムや価値観、ライフスタイルが変わらず続いていくことを意味するのか。そして持続とは何年のスパンを指しているのか。数十年なのか、数百年なのか。数千年も同じかたちで持続した文明など歴史上一つとしてない。

さらに誰にとっての持続なのか。この地球上から人類がいなくなっても、地球は一向に困らない。むしろ地球が持続するためには、人類などいなくなってもらったほうが助かる種《しゅ》が多いのではないだろうか。いまのわたしたちの文明が、他の生命の持続に何らかの貢献をしているとはまるで思えない。

あまりにも複雑に関係し合い、問題の所在も解決の糸口も見つからない「Eの問題」。じつはこれらの問題の根元は、ほぼすべて一つのシンプルな「Eの問題」として集約される。それは「Ego 自我」の問題である。このシンプルな問題こそもっとも解決することが難しいのだ。わたしたち人類には、個人レベルから国家のレベルまでどのスケールにおいてもさまざまなエゴが問題を生んでいる。自分《セルフ》を中心とするエゴ、企業《カンパニー》を中心とするエゴ、共同体《コミュニティ》を中心とするエゴ、国家《ネイション》を中心とするエゴ、人間《ヒューマン》を中心とするエゴ……。そんなさまざまなエゴをベースにしている以上、その上にいくらテクノロジーやシステムを積み上げても、問題は一向に解決しないだろう。

地球環境は人間にとっていよいよ不都合な状況となりつつある。そんな危機的な状況にもかかわらず、一向にまとまらない人類の問題の真の原因は何なのだろうか。それぞれが勝手なことを主張し合う自我《エゴ》を外すことなく、地球《アース》の問題の解決がどうしてあり得るだろうか。

本書は、エゴを見直すこと、つまり「メタノイア（悔い改め、回心）」を中心的な問題にして、宗教学者の鎌田東二先生とランドスケープデザイナーのぼくとが、二〇一六年から一八年にかけて断続的に対話を重ねてきたものである。当初は「聖地」についての対談として企画された本書は、何かの落とし所を決めて話し始めたものではない。互いの直観と経験、問題意識を照らし合わせて大切なことを確認する対話のプロセスであり、その話題は膨大な領域を行き交うことになってしまった。そして同時に対話の期間において自分の身にも、社会にも転機となる出来事がいくつも起こった。その果てに本書のメッセージは「わたし」と「地球《ガイア》」との関係へとたどり着いた。

最初の対談は二〇一六年六月二十五日。当時ぼくが運営していた大阪市東成区のアトリエ「♭《フラット》」で、大重監督のドキュメンタリー映画『久高オデッセイ第三部　風章』の上映会後に公開で行った（第七章）。この対談の二日前にイギリスで行われた国民投票で、欧州連合（ＥＵ）離脱支持票が過半数を占める結果となった。その半年後にアメリカでは第四十五代の大統領としてドナルド・トランプが当選し、世界は不安と混乱に巻き込まれていくことになる。この二つの出来事は世界の政治体制において、それまで至上のモデルとされた自由主義・民主主義が先行きを見失い始めた兆しであるが、最初の対談を挟んだ前後にそんなことが起こっている。

二回目の対談は二〇一七年三月二十日。京都の鎌田先生の自宅で六時間にも及んで行われた（第一章―第六章）。その翌週からスペインのバルセロナで暮らし始めたぼくは、八月にランブラス通りでの無差別テロに巻き込まれ、十月にカタルーニャの独立運動に巻き込まれることになる。流動性が高まる社会において国家という枠組みすらも再考を迫られ、これまでの欧米を中心とした価値観が群れをなして先頭から崖に向かって突っ込んでいく姿を想像させられた。

そんな中で、個人的には執筆を続けてきた実践的研究である『まなざしのデザイン――〈世界の見方〉を変える方法』（NTT出版、二〇一七年）を初の単著として上梓した。わたしたちが固執する自分のモノの見方をどのようにすれば変えることができるのか。そんなことを書いた拙著は、本書ではメタノイアと呼ぶ概念と接続されている。

三回目の対談は二〇一八年十一月四日。千葉市美術館で制作した『地球の告白』という、ぼくの空間インスタレーション作品を巡る公開対談だ（第八章）。ユーラシア大陸の反対側から帰国後まもなくして制作した作品で、深刻化する地球の問題の根底に何があるのかを考えたかった。宇宙からの地球の眺めが共有されて半世紀となる節目の年に、地球の問題とわたしたちの心の問題とがどのように結びついているのか。それを具体的な表現や体験として提示しつつ、地球の行く末について鎌田先生と話し合った。

最初の対話から出版まで四年も経ってしまった。その間に、自分の中で当初から大きく変わった考えもある。しかしこの対話を通して二人で紡いだ中心的なメッセージは、何万年という長尺の時間スケール、そして個人から地球までの空間スケールでのあるべき姿を話し合ったものだ。それは数年で変わってしまうぐらいの射程範囲ではないと信じたい。

二十五歳も隔たる若輩のぼくを、懐を開いて受け止めてくださった鎌田東二先生には感謝の念が尽きない。対談の企画から編集までご担当いただいた編集工房レイヴンの原章氏、メッセージの重要性を感じ、出版を引き受けてくださった、ぷねうま舎の中川和夫氏、全プロセスを通して伴走いただいたブリコラージュファウンデーションの吉見淳代氏には深甚の謝意を表したい。そして何より本書をお読みいただいた方々が、自己や社会のあり方を見つめ直すきっかけを手にすることを願うとともに、それが広がることで、この絶望的な状況にあって、地球と文明との間に調和がおとずれることを祈っている。生きとし生けるものに幸せがありますように。

二〇二〇年一月

## 図版出典, 資料提供一覧

30頁　春日若宮おん祭の細男. 写真提供：春日大社.

56頁　渡辺豊和のポストモダン建築「龍神村民体育館」. 写真提供：南紀エリアスポーツ合宿誘致推進協議会.

62頁　象設計集団による名護市庁舎. 写真提供：名護市.

64頁　斎場御嶽. 撮影：比嘉真人.

69頁　イスラームの都市. 出典：pxhere.

87頁　土方巽「赤ドレス」.『土方巽と日本人』より, 写真提供：NPO 法人舞踏創造資源, 撮影：長谷川六.

135頁　スタンリー・キューブリック監督『2001年宇宙の旅』. 画像提供：Movie Poster Image Art/GettyImages.

171頁　アポロ8号から見た地球の出. 1968年12月24日, NASA.

177頁　サウジアラビアのカアバ神殿. 提供：istock.

181頁　スペイン・モンセラットののこぎり山と修道院, 写真提供：ハナムラチカヒロ.

231頁　サンセット・クレーター. 出典：WIKIMEDIA COMMONS.

234頁　メテオラ, 巨大な奇岩の頂上に修道院が建っている. 写真提供：istock.

239頁　真脇遺跡のウッドサークル（環状木柱列). 提供：真脇遺跡縄文館.

243頁　縄文時代の巻貝形土製品. 東京国立博物館蔵, Image: TNM Image Archives.

257頁　ヤハラヅカサ. 撮影：比嘉真人.

266頁　ハナムラチカヒロによる空間インスタレーション『地球の告白』. 於：千葉市美術館.

282頁　諏訪大社の御柱（上社里曳き建御柱), 撮影：御柱情報センター.

285頁　「縄文のビーナス」. 茅野市尖石縄文考古館蔵.

286頁　「仮面の女神」. 茅野市尖石縄文考古館蔵

## 鎌田東二

1951年生まれ．文学博士．上智大学グリーフケア研究所特任教授，京都大学名誉教授．宗教哲学，比較文明学，民俗学，日本思想史，人体科学などを幅広く研究．著書に『神界のフィールドワーク』（青弓社），『超訳古事記』（ミシマ社），『歌と宗教』（ポプラ社），『聖地感覚』（角川ソフィア文庫），『世阿弥——身心変容技法の思想』『言霊の思想』（青土社），詩集『狂天慟地』（土曜美術社）ほか多数．

## ハナムラチカヒロ

1976年生まれ．博士（緑地環境科学）．大阪府立大学21世紀科学研究機構准教授．ランドスケープデザインとコミュニケーションデザインをベースにした風景異化論をもとに，空間アートの制作，映像や舞台などでのパフォーマンスも行う．著書に『まなざしのデザイン——〈世界の見方〉を変える方法』（NTT出版）ほか．『霧はれて光きたる春』で第1回日本空間デザイン大賞・日本経済新聞社賞受賞．



ヒューマンスケールを超えて　わたし・聖地・地球《ガイア》

2020年2月25日　第1刷発行

著　者　鎌田東二《かまたとうじ》・ハナムラチカヒロ

装画・装幀　ワタナベケンイチ・わたなべひろこ

企画・構成　カクイチ研究所

発行者　中川和夫

発行所　株式会社 ぷねうま舎
〒162-0805　東京都新宿区矢来町122　第二矢来ビル3F
電話 03-5228-5842　ファックス 03-5228-5843
http://www.pneumasha.com

印刷・製本　株式会社ディグ




ISBN 978-4-910154-02-2　Printed in Japan